頂点を目指せ！ 3

日本ハウスHDの
頂点を目指す
精鋭たちからの金言

頂点を目指せ！3

日本ハウスＨＤの頂点を目指す精鋭たちからの金言

頂点を目指せ！ 3

日本ハウスHDの頂点を目指す精鋭たちからの金言

目次

頂点を目指せ！

［序章］

――

目標・夢を持て！
情熱を燃やし続けろ！
未来の主役は、
あなた自身だ。

成田和幸 Kazuyuki Narita

株式会社日本ハウスホールディングス　グループ CEO 兼代表取締役会長

昭和28年4月20日生まれ。北海道産業短期大学（現　道都大学）卒業。

昭和51年、東日本ハウス株式会社　函館支店入社。平成2年、函館支店長。平成6年、取締役北海道ブロック長兼支店強化推進部長。平成7年、取締役首都圏ブロック長兼横浜支店長。平成13年、常務取締役関東ブロック長兼首都圏ブロック長。平成14年、代表取締役社長。平成31年より現職。

営業在籍14年半で29回連続金バッジを取得し、全国1位を15回受賞。契約の95％は紹介で、生涯受注実績棟数532棟は歴代1位の記録。

人生理念・モットー「プラス思考」

好きな言葉「苦楽一如」

成功へのヒントが詰まった各章から気づきを得て欲しい

私たち株式会社日本ハウスホールディングス（旧　東日本ハウス株式会社）は、昭和44年2月13日に岩手県盛岡市にて創業しました。当時は大和ハウスの代理店でしたが、創業2年目には木造在来工法の会社へと早々に業態転換し、以来、おかげさまで急成長を遂げることができました。

いまから25年ほど前の平成9年（1997年）には、売上高1432億円、受注棟数6000棟となり、最高業績を達成。しかし、その後は住宅市場縮小に伴う業績下降や多角化経営失敗による財務内容の悪化を受け、企業規模は縮小の一途を辿ります。平成14年に、私が社長を任ぜられた時は売上高700億円ほどで、経営立て直しのため、そこから会社を一気に3割縮小しました。

次々と打ち出した施策、構造改革により、現在ではほぼ無借金経営となるまで復活を遂げることができました。しかし、市場環境は依然として厳しく、この先も楽観視

できない状況です。そんな中で私が思い、決意したことがあります。それは、

「社員が夢を持てる会社を、みんなでつくりたい」

と言うものです。そのための一環として、この書籍発刊を企画しました。

実は、これまで「頂点を目指せ！」、「頂点を目指せ！2」、そして「不屈の経営」という3つの書籍を発刊しています。どれも日々、汗をかき、頑張る当社社員たちに登場してもらい、さまざまなエピソードなどから目標・夢を実現している姿をみなさんに知っていただく構成となっています。もちろん、私からのメッセージも書き記しています。うれしいことに、これら書籍を読んで刺激を受けた方々はたくさんいたようです。

今回の「頂点を目指せ！3」も、同様のコンセプトであり、主に当社社員のモチベーションアップや仕事への気づきを与える文章構成となっています。しかしながら、各

章に記されたエピソードや社員たちの思いは、多くのビジネスパーソン、そしてこれから社会人となる若い人たちに、おおいに参考になるのではと感じています。仕事の壁にぶつかったり、悩んでいる人たちに少しでもお役に立てればうれしい。そんな思いから、この書籍を書店を通じて広くお届けすることに決めました。

日本ハウスＨＤは復活したとは言え、現在の売上高は４００億円、受注棟数１２００棟です。つまり、事業の３割縮小を行ってから、規模としてはまったく伸びていないのです。

そこで２０２１年11月（54期）より、「中期飛躍６ヶ年計画」をスタートさせました。組織を再構築し、新たな執行役員制度も導入しました。これにより、54期～56期の３ヶ年でグループ売上高を５２０億円に、さらに57期～59期の３ヶ年でグループ売上高７００億円を達成させます。ハウス事業で６００億円、２０００棟。ホテル事業その他で１００億円。まずは過去最高業績の半分までには持って行こうと言う計画です。

いま私たちが置かれている状況に危機感を抱いている人は、いったいどれほどいるのでしょうか。残念ながら、現状に甘んじている人が多いと言うのが、私の印象です。だから今回、「頂点を目指せ！3」を発刊したのです。もう一度、自分の仕事を見直して欲しい。意識の持ち方を変えて欲しい。この書籍を読むことで、そのためのきっかけを掴んで欲しいと言うのが、私の思いです。

頂点を目指せ！　活躍の場が待っている

社員が目標・夢を持ち、やりがいを感じながら仕事に向かえるようにと、今回、評価基準を再整備しました。その評価基準こそが、「頂点を目指せ」です。

頂点を目指せ

1、社員は、入社3年以内で5棟以上受注。

そして2年以内で金バッジ2個取得し　**主任**。

2、主任は、2年以内に金バッジ2個取得し　**係長**。

係長は、2年以内で金バッジ2個取得し　**課長**。

3、そして課長は、店の責任者としての人格を身につけ**所長**を目指せ。

4、所長は、5年以内で受注3.5億かつ利益35百万の昇格基準を達成し

支店長を目指せ。

5、支店長は、5年以内で部下2名の店長候補を育成し

店を統轄出来る人格を身に付け**統轄店長**を目指せ。

6、統轄店長は、5年以内で3年以上連続で業績を伸し

人格を身に付け　**執行役員**を目指せ。

7、執行役員は、5年以内で3年以上連続で業績を伸し

人格を身に付け　**事業部責任者**と**上席執行役員**を目指せ。

8、取締役は、5年以内で事業部責任者として秀でた

実績を示し、人格を身に付け　**常務**、**専務**を目指せ。

9、常務、専務は、社長としての人格を身に付け
会社の将来進むべき道、ビジョンを示し**社長**を目指せ。

第2営業版　頂点を目指せ

1、社員は、入社2年以内で金バッジ2個取得し
そして3年以内で金バッジ3個取得し　**主任**。
2、主任は、2年以内に金バッジ2個取得し　**係長**。
係長は、2年以内で金バッジ3個取得し　**課長**。
3、そして課長は、店の責任者としての人格を身につけ、**次長・所長**を目指せ。
4、所長は、5年以内で受注3.5億かつ利益35百万の昇格基準を達成し
支店長を目指せ。
5、支店長は、5年以内で部下2名の店長候補を育成し店を統轄出来る
人格を身につけ**統轄店長**を目指せ。

6、統轄店長は、5年以内で3年以上連続で業績を伸し人格を身につけ **執行役員**を目指せ。

7、執行役員は、5年以内で3年以上連続で業績を伸し人格を身につけ **事業部責任者**と**上席執行役員**を目指せ。

8、上席執行役員は、5年以内で事業部責任者として秀でた実績を示し、人格を身につけ **常務**、**専務**を目指せ。

9、常務、専務は、社長としての人格を身につけ会社の将来進むべき道、ビジョンを示し**社長**を目指せ。

意識改革をし お金と地位、名誉を手に入れろ
これが **社長**への道だ

「中期飛躍6ヶ年計画」の達成、そしてその後、売上高1000億円など、成長を続けていくためには、社員の頑張りが欠かせません。「頂点を目指せ」と言う評価基準を改めたのは、人を大事にしたいからです。3年先、6年先、さらにその先の目標が持てる会社でなければ、やる気は起こらないものです。主役が常に社員である会社にすることが私の使命。そして主役として頑張ってくれている社員たちを紹介したのが、この「頂点を目指せ3」なのです。

「学歴不問・実力主義」の言葉の意味を知って欲しい

わが社の創業の精神は、「学歴不問・実力主義」です。学歴不問ですから高卒でも、大卒でも関係ありませんし、こう言ういい方はあまり好きではありませんが、一流校でなくても、二流校でも三流校でも、まったく区別することなく採用しています。これはみなさん理解しているようですが、問題は次の実力主義です。

実力主義とは、頑張った分を評価してくれること、と捉える方がほとんどだと思います。もちろんその捉え方は正解です。でも、もう一つ、ここではっきりと伝えておきたいことがあります。それは「入社後は、あなたに実力を発揮することを求めますよ」と言うことです。

つまり、『私はそんなに評価してもらわなくてもいいから、実力発揮はそこそこでいい』と言うスタンスの方は求めていないと言うことです。日本ハウスホールディングスに入社したからには、すべからくみなさんに持っているすべての実力を発揮してもらいます。強い覚悟を求めます。楽して、手を抜いて働き続けられる環境は、わが社にはありません。

ただし、あなたを放ったらかしにして、あなただけの力で実力を発揮しなさいとは言いません。店長をはじめ、我々が身を挺した徹底した社員教育によって、あなたを実力のある人材に育てていきます。そのことにより、非エリートの我々でも、学歴エリートに勝てる会社にし、あなたに収入、ポスト、やりがいなど、多くのものを掴んで行ってもらいます。

改めて、以下にわが社の「創業の精神」を示します。

■創業の精神

学歴不問・実力主義

人間性を高め 且つ 非エリート集団でも
身を挺する 徹底した社員教育により、
エリート集団に勝てる事、
学歴と企業の力とは無関係である事を
証明したい。

天職なんて後から気づくこと。
先輩・上司を信じてついてきて欲しい

格好良く、スマートに、非エリート集団がエリート集団に勝てるわけはありません。だからうちは泥臭く、人間味あふれるやり方で人を教育し、育て上げていきます。1年間、先輩社員が新入社員を責任もって指導する「マイスター制度」にはじまり、店長やリーダー、先輩たちが、ことあるごとにアドバイス、フォローをして、成長に導いていきます。

新入社員には、3年間で5棟の成約を目指してもらいます。私は「3棟までは先輩・店長の仕事だ」と伝えてあります。知識もキャリアも乏しい新入社員、若手社員が、そんなに簡単に成約なんてできません。だから先輩がサポートしてあげるのです。店長が責任を持って指導し、結果を出させてあげるのです。

やってみせ、言って聞かせてさせてみて、褒めてやらねば人は動かじ

話し合い、耳を傾け承認し、任せてやらねば人は育たず
やっている、姿を感謝で見守って、信頼せねば人は実らず

まさに、この山本五十六の言葉通りの指導をせよと言ってあります。だから新入社員は、明るく、素直に、コツコツとやっていけば大丈夫。規律・礼儀・挨拶と言う社会人の基本を守り、まずは3年間、石にかじりついてでも頑張って欲しいです。

しかし、残念ながら、以前と比べて簡単に若手社員が辞めていくようになりました。当社だけの問題かと思い、取引銀行に聞くと同じようなものだと。昔は『石の上にも三年』とか、『辛抱が大事』とか、『苦労は買ってでもしろ』とか言ったものですが、いまは『苦労からは逃げろ』、『辛抱我慢はするな』、『石の上なんて一年でもまっぴらだ』などと言う風潮が広がっているようです。でも、本当にそれでいいのでしょうか。

私は新入社員たちに問うのです。「辛抱ができずに簡単に会社を辞めたら、あなたが将来、一生添い遂げたいと思う人が現れた時、どうやって守りますか?」と。「大黒柱

となるべき配偶者が、簡単に転職を繰り返していたら、あなたはそれでも結婚したいと思いますか?」と。はっきり言って、そんな人は大切な存在を守ることなんてできません。世の中、そんなに甘いものではないのです。だからせめて3年間は辛抱してごらんと言うのです。

この仕事が天職だと思って入社してくる人なんて誰一人としていません。働くうちにいろんな経験をして、『あ、これが天職なのかも知れない』と後で思うものなのです。だから当社では、徹底的に人生の生き方を教えるのです。目標・夢を持つことの大切さや、それを叶えるための具体的対策・方法を教え込むのです。

情熱炭火論×成功の法則＝輝かしいあなたの人生

この書籍を読み、『これからもう一度ギアを切り替えて、もっと頑張っていこう!』と思った方には、社員心得50項目にある「10．情熱炭火論」と「11．成功の法則」を再度、見返して欲しいです。

情熱を常に赤々と燃やしなさい。しかし、情熱は炭のごとしです。新しい炭を足していかないと、いまは燃えていてもいずれ灰になってしまいます。人生における炭とは何かといえば、それは目標と夢です。

成功の法則のもと努力を重ねることで、目標は一つひとつクリアされていきます。それを繰り返すうちに夢が目標へと落ちてきます。そうなれば、また新しい夢を描くことができる。それは炭であり、情熱を赤々と燃やし続ける燃料となるのです。

若い頃は目標を達成する、しないを、あまり重要に考えなくていいと思っています。それより大事なのは、失敗したり、うまく行かなかった時、どうすればうまく行くのだろうかと次の手を考えること。それを繰り返すことです。

三日坊主でもいい。『まずい、忘れていたな、サボっていたな』と気づいたら、またそこから始めればいいのです。ダメなのは止めてしまうこと。再チャレンジを放棄することです。新しい方法を考えると、また新しい目標ができ、夢も生まれます。「情熱炭火論」と「成功の法則」は常にセットで実行してください。

これから素晴らしい物語をつくるのは、あなた

　最後に日本ハウスＨＤグループの「企業理念」を示し、この章を締めたいと思います。私が社長になったのを機に、時代にそぐわなくなってきていた「経営理念」を「企業理念」として改め、社員心得を整備しました。以下、企業理念です（グループ社員心得50項目、意識改革９カ条は巻末に掲載）。

■日本ハウスホールディングスグループ　企業理念

【グループの使命感とビジョン】

１　社会に貢献するグループ企業集団と成る。
　社員・業者会が一つになって、お客様・株主・社会に貢献する集団となる。

（1）日本ハウスホールディングス ビジョン

お客様が安心して任せられる日本一の住宅会社となる。

（2）日本ハウス・ホテル＆リゾート ビジョン

おもてなしの心で、お客様満足を追求し質の向上と規模拡大を図る。

（3）日本ハウス・ホテル＆リゾート倶楽部 ビジョン

会員権事業により、中小企業の福利厚生と高齢者の余暇休日の慰労に寄与する。

（4）日本ハウス・ファーム ビジョン

食の安全と質の向上を図り、グループホテルへの食材バックアップ体制を構築する。

【グループ社員の心構え】

2 報恩感謝の心で行動するグループ企業集団と成る。

六恩（お客様・父母・働く仲間・業者会・株主・社会）に報いる仕事をする集団となる。

【グループ企業の目指すべき姿】

3 物心両面の幸福を追求するグループ企業集団と成る。

六恩に報いる行動、仕事を行い、誇りもモノも手に入れる集団となる。

一つ目のグループの使命を果たすために、我々はお客様が安心して任せられる日本一の住宅会社を目指します。規模では日本一になれないでしょうが、『日本ハウスＨＤで建てて良かった』と言われる会社にはできる。また日本の森林を守り、ＣＯ２吸収量を高め、脱炭素社会実現に寄与する、私たちならではの木造住宅を展開することで、社会に貢献しようと考えています。

二つ目は、常に感謝の気持ちを持って仕事に向き合おうと言うことです。お客様・父母・働く仲間・業者会・株主・社会の六恩に報いる行動を求めています。

そして三つめは、物心両面の幸せを手にすることができる会社を、みんなでつくっていこうと言う決意表明です。

この３つのどれかが欠けてもいけないし、すべてが高いレベルで達成しなければならないものです。企業理念は、何か迷いが生じたり、行き詰った時に立ち返る原点です。常に振り返り、企業理念の意味をかみしめながら、日々の活動に当たってください。

この後にご紹介する8人のストーリーには、この企業理念を体現するものがたくさん登場します。ぜひ、これからの働き方の参考にして欲しいと思います。

そして次に彼らのような素晴らしい物語を紡ぎ出すのは、他ならぬあなたです。

頂点を目指せ！

［1章］

人を育て、ブロック売上100億円に執行役員は、あくまでも通過点である。

近藤貴之 Takayuki Kondo

執行役員　東北ブロック　統轄店長兼福島支店長

昭和48年7月14日生まれ。大原簿記専門学校卒業。
平成6年4月、日本ハウス事業部　函館支店入社、営業職へ。平成18年11月、Jエポックホーム　函館営業所　所長、平成20年11月、Jエポックホーム　函館支店　支店長、平成27年11月、日本ハウス事業部　函館支店　支店長を歴任。令和2年5月より、日本ハウス事業部　福島支店　支店長兼東北統轄店長、令和3年11月（第54期）より、執行役員に就任。
人生理念・モットー「努力は人を裏切らない」「ピンチはチャンス」
好きな言葉「為せば成る 為さねば成らぬ何事も 成らぬは人の 為さぬなりけり」

正直、目標や夢なんてなかった

大原簿記専門学校卒。これが近藤貴之の最終学歴である。

これの意味するところは、文字通り、住宅産業とはまったく関係がない世界からの入社だと言うこと。建築の知識は皆無で、日本ハウスホールディングスに挑戦したと言うことだ。

やりたいことなんて何もなかった。単に卒業が近づいて、みんなが就職活動をするので自分も始めただけだった。先生に紹介されて、なんとなく受けた面接。少し興味が持てたのは、幼い時から打ち込んでいた野球の話。日本ハウスHDには野球部があり、活躍次第ではあの東京ドームでの大会に出られるかも知れない。この会社、いいかも…。そんな気持ちがほんのちょっとだけ頭をもたげてきた。仕事で活躍している自分の姿ではなく、野球で大暴れしている自分の姿。いま考えると苦笑するばかりだが、世間を知らない若者では致し方ないことだろう。

「父が製鋼所で機械の設計の仕事をしていたのです。機械・プラント製図技能士1級の資格を持っていて尊敬していました。その影響で、簿記の専門学校に行ったようなものです。また兄もゼネコンで働いていたこともあって、なんとなく物をつくる仕事である住宅産業は面白いのではないかと考えるようになったのですね。でも、正直に言うと、それは後付けでしかないような気がします。本当に当時は『これがやりたい！』なんて情熱はありませんでしたし、目標や夢も持っていませんでした。20歳前後のまだろくに働いたことのない人間なんて、誰でもそんなものではないでしょうか」と近藤はそう話し、はにかむ。

〝できない〟ことを〝できる〟にする方法。それは反復練習

入社して、いきなり面食らった。新入社員研修というものが、こんなに厳しいものだとは思ってもいなかったからだ。挨拶、礼儀・礼節、約束を守る…。確かに子どもの頃から親や周囲の大人たちに言われてきたことではあったが、そんな当たり前のことを朝

から晩までガンガン言われ続けた。

中でも一番つらかったのは、「プラン訓練」だった。お客様がどんな家を建てたいのかという要望を聞き出し、それを間取りにして提案する。間取りなんて自分の家のものしか知らない20歳そこらの若者だ。プランを描けと言われても、何一つ頭に浮かんでこなかった。

『お客様が実現したいことをもっときちんと聞き出せ！』

『お客様の気持ちをちゃんと想像しろ！』。

そう言われるたびに余計に頭が混乱した。悩んで、悩んで、明日もまた悩むのか…。新入社員研修中、近藤はほとんど眠れなかった。

「できない、できない、できない…。もう、その言葉が頭の中をぐるぐると回っていました。でも、ふと考えたのです。できないと悩んだり、逃げてばかりではなく、できるようになるためには何をすればいいのか、と。答えは反復練習。知識がないのだから、とにかく先輩のアドバイスを聞きながら、描いて、描いて、描き続けるしかないと気づいたのです。この時、野球をやってきたことが役に立ったなと感じました。野球だって最初はへたくそ。でも、練習を繰り返すうちにうまくなってレギュラーにもなれました。この仕事でレギュラーになるためには、愚直に練習するしかない。そう感じ、とにかく何度も繰り返し練習したのです。忍耐力だけは自信がありましたから」

初受注は9月。支店の方針で、現場での研修を挟んだため、もっと早くに初受注をした同期もいたが、順調なスタートだった。そして1年後のマイスター制度卒業式を、全体2位で迎えることができた。すべてはマイスターや支店長のおかげ。本社主導ではなく、『俺が責任を持って育てる!』という、ほとばしる情熱を持った先輩・上司たちに支えられ、叱咤激励されて掴んだ結果であった。ちなみに当時の函館支店長は、成田会長だった。

「辞めたいと思ったことは何度もあります。でも、逃げたくはなかった。支店長だった成田会長をはじめ、マイスターを担当してくださった、現在、上席執行役員でマンション事業部の中川政輝事業本部長には、本当に手取り足取り、1から10まで教わりました。だから時にはモチベーションが下がることもありましたけど、その恩には必ず報いようと思ったのです」

人間味あふれる先輩・上司こそ、最大の味方である

　近藤が1年目に心がけたこと。それは言われたことは必ずやり切ること。そして、せっかく会社に来たのだから、一日一件だけでもいいから、納得できる仕事をしようと言う心構えだ。

　経験がないから失敗もする。せっかく掴んだお客様から『若くて心配だから担当を変えてくれ』と言われ、悔しい思いをしたこともある。でも、やるべきこと、自分なりに納得できる仕事をコツコツとやり続けていたら、必ず誰かが見てくれている。必ず誰かがサポートしてくれる。そう信じていたし、実際にそうだった。

「結局、私が日本ハウスHDを辞めなかったのは、そんな先輩・上司の方々の人間味あふれる男気に惚れたからです。1年目の受注はすべて先輩・上司のおかげと言いましたが、コツコツと頑張っていたら何かと目をかけてくれたのです。あいつ頑張っているから手伝ってやろうって。しんどいこともたくさんあるけれど、こんな素敵な人たちに

出会えたことはすごくラッキーだな、こんな幸運を自ら手放して辞めるなんてもったいないと、心底そう思いました」

当時の基準では、近藤は残念ながら「金バッジ」は獲れなかった。しかし、新卒上位10名という資格で金バッジ表彰式に参加することができた。豪華客船「飛鳥Ⅱ」で開かれたパーティは、これまで体験したことのない素晴らしく、驚きの世界だった。今度は正真正銘、金バッジを獲得し、父や母、家族を連れて参加したい！　そう強く決意した。

言い訳はしていないか？　今一度、自分を振り返ってみる

近藤が金バッジを獲得したのは入社7年目のことだ。1年目から新人全国2位。金バッジ表彰式で強く誓ったあの思い。それを考えると、金バッジ獲得にはそう時間がかからないだろうと周囲は見ていたことだろう。そして当の本人こそ、2年目に金バッジは獲得できると確信していたに違いない。

しかし、それから6年間、金バッジは遠かった。同期は次々と金バッジを獲っていく。

それでも近藤にはなぜか焦りはなかった。いや、焦りというより、尻に火が付いていなかったと言ったほうが、表現としては正しいだろう。金バッジが獲れないことの危機感は、まったく抱いていなかったのである。

「結局、自分のことしか考えていなかったのです。言い訳していたのですね。5年目に同期会を開いてもらってみんなから激励されたのですが、その時の累計棟数も全国2位。でも、『全国2位なのだから十分活躍できているじゃないか』と思っていたのです。今でこそ金バッジ獲得数による昇格基準が明確に定められていますが、当時はあいまいな部分もあって、『金バッジって、そこまで目指す必要があるの?』と斜に構えていたところもありました。自分がやり切れていないのを棚に上げて」

必ずきっかけはやってくる。それを掴むか否か

入社7年目。27歳の時、近藤に大きなターニングポイントがやってくる。近藤のマイスターを務めてくれた前出の中川課長(当時)が、函館の支店長に昇格したのだ。全幅

の信頼を置いていた人が、ちょっと遠い存在になってしまった。その時、近藤は思ったのだ。「いつまで俺は人に頼り切っているんだ⁈」。腹の底から猛烈に湧いてくる責任感と、この仕事への熱い思いをふつふつと感じたのであった。

建築系の資格を取得したほうがお客様に信頼される。そう思って始めた二級建築士の勉強。すでに5回も受験に失敗していた。この仕事に対する情熱が足りないのではないか。入社してから幾度もお客様と出会い、感謝され、それなりにこの仕事が好きになってきてはいるが、本気で情熱を傾けていたのかと言われたら、胸を張ってイエスと答えられるのか。自分で自分に問うた時、自分の甘さに気づき、恥ずかしくなった。

今一度、真剣に取り組もう！ 言い訳をすることなく、やり切ろう！ そう心に決めた近藤は猛勉強をし、この年、見事、二級建築士の合格を果たす。また、思い切ってわが家を建てることにした。その経験を通じて分かったことは、これまでお客様の立場に立って物事を考えていたつもりだったが、それは〝つもり〟でしかなかった、と言うことだ。家を建てる当事者になって、やっとお客様の本当の気持ちが理解できた。それは当然のこととして、商談でおおいに役立った。そして、金バッジ獲得だ。

「27歳でやっと金バッジ獲得なんて遅咲きも遅咲き。でも、すべては意識の問題だったのです。当事者意識が弱くて、自責をどこかで他責に転嫁していたのです。だから、いま伸び悩む人に言いたいのは、まずは悩み過ぎないこと。そしてもう一度、素直に自分を振り返って、自分の仕事が他人ごとになっていないか見直して欲しいということです。意識を前向きに持って行って、コツコツとやっていれば、必ず気づきやターニングポイントがやってくる。私がそうだったのですから、これは間違いないことです」

誰もが最初からうまくはいかない。会社から、先輩や上司から金言を授かっても、その意味が分からなかったり、素直に聞けずに背を向けてしまうこともある。若くて経験がないから、考え方も柔軟になれなかったりもする。それが若者というものだ。

たとえばの話、少年期にやんちゃに走る者もいる。いろんな人から指導を受けたり、諭されたりしても反発をする。でも、何かをきっかけに自分が間違っていることに気づくときがくる。自分に足りないものは何かを分かるときがくるのだ。そのタイミングがどれだけ早いかが、人生を大きく左右するのである。いち早く気付く人もいれば、気づくのに時間がかかる人もいる。中には、30歳になっても40歳になってもまったく気づかない人もいる。後者はどんな人生を送るのか、想像に難くはないだろう。

これは仕事においても同じことが言える。近藤は27歳で気づくことができた。本人は遅いというが、日本ハウスＨＤには、いくらでも挽回できる環境と文化がある。そこが大きな魅力の一つでもあるのだ。

入社８年目からの５年間で、近藤は金バッジ獲得機会10回中、６回獲得。資格も二級建築士のほか、宅地建物取引士、日商簿記２級、福祉住環境コーディネーター２級、断熱施工管理技士、３級ファイナンシャルプランナー技能士を持つまでとなった。そして所長、支店長を歴任し、今では福島支店長ならびに東北ブロックの統轄店長だ。２０２１年11月からは、執行役員としての重責も担う。

勝つ喜び、仕事の面白さを伝えていきたい

現在、東北ブロックは売上78億円。福島支店は売上10億円強だ。それを３年間で同１００億円、15億円に持って行くことが近藤のミッションである。

そのために何をしなければならないのか。答えは一つだ。今いる若手社員、入社1年目から3年目の人材をしっかりと教育し、底上げを図ることである。

「人材の育成、底上げという言葉だけを聞けば、どうしても私たち上司からの目線になりがちです。大事なのは、あくまでも若手社員がどう思うか、どう意識を変え、どう行動していけるかなのです。だから同行を重ねてヒアリングなどのテクニックはもちろん教えますが、何よりも重視したいのは〝勝つ喜び〟を味わってもらうことです」

「私も入社当初は右も左も分からず、勝つ喜びも、仕事の面白さもまったく分かりませんでした。無我夢中で毎日を過ごすだけでした。でも、先輩や上司、マイスターに指導してもらう中で、少しずつ契約がいただけるようになり、自分で判断できるようになっていったのです。そして、お客様から『近藤さんに出会わなかったら、私たちは家を建てていなかったと思います。本当にありがとう』と言われる経験をするのですね。その言葉を聞いたとき、ゾクゾクっと背中が震えました。あれはいまでも忘れられません。そういったうれしい経験、自信になる経験をより早く、より多く、若手社員に味わわせてあげたいと考えています」

いい人生を送って欲しいから、頑張れ！というのだ

採用した以上は、一生面倒を見ていく。これは成田会長の方針であり、近藤自身も肝に銘じていることである。自分自身、人間味あふれる面倒見のいい先輩・上司がいたからこそいまがあるのだ。失敗してへこんだら引き上げてくれて、契約が決まったら心から喜んでくれて。自分がしてもらったことを、今度は後輩たち、若手社員たちに届けていきたいと強く願っている。

「まずは3年間、頑張って欲しい。人はうまく行かなくて、苦しくなればなるほど、隣の芝生が青く見えてくる。誰かに相談すると、あなたの気持ちを慮って『無理しなくていいよ』とか言ってしまう。でも、それは本当にあなたのためを思って言っているのかといえば、私はノーだと思います。会社は売上を上げなければ生き残れません。だから社員にも頑張れと言います。だけど売上を上げるためだけに言っているのでは決してないのです。成功体験を積んで、仕事にやりがいを感じてもらって、いい人生を送って

欲しいから、たとえ苦しくても歯を食いしばって頑張れと言っているのです。頑張った先には、絶対にいいことがあるからと。そこを勘違いしては欲しくないし、若手社員にはきちんと伝えていかなければならないと考えています」

回り道をした分、分かることがある

前述のように、近藤は決してトップセールスではなかった。全国2位のシルバーコレクターであったし、いまも営業が得意だとは言い切れない。辞めたいと思ったことは一度や二度の話ではないと述懐する。

だけど、いままでその都度、立ち上がり続けてきた。だからこそ、若い人、後輩たちに伝えられることがあると感じているのだ。コツコツ努力すれば報われる。物事を自分ごとで考えて行動すれば、お客様は必ず評価してくれる。努力は人を裏切らない。そう自信を持って言い切れる。

「遅咲きで回り道をしたようですが、いま人の上に立って経営判断や指導をする中で思うのは、すべての経験が仕事に、人生に生きているということです。私がスーパー営業マンだったら、伸び悩む人の気持ちはあまり理解できなかったかも知れません。だから、いま伸び悩むあなたにも、それは成長過程において必要なことなのだと伝えたい。決して腐らないで欲しいし、もし腐りそうになったら誰でもいい、私に直接言ってくれてもいいから相談してください。真剣に寄り添いますから」

好かれる人になろう。するとチャンスがどんどん巡ってくる

日本ハウスＨＤの強みは何かという問いに対し、近藤は「質のいい家を提供していること」と即座に答えてくれた。国産檜をぶんだんに用い、長期の保証制度も整っており、何より優れた職人技で建てられる家は、他社が建てる家とは大きく違う。冬暖かく、夏は涼しい快適な住宅性能に地震にも強い安心の構造など、差別化できる要素は枚挙にいとまがないと胸を張る。しかし、近藤はこうも言う。いい家ではあるが、結局、お客様

が選ぶのは〝人〟である、と。人として他社に勝つこと。人としてさらに成長を重ねること。人間力の向上こそが勝負の分かれ目であり、何よりも重要なことであると説く。

「仕事においての大前提は、約束を守ること。時間を守る、約束を守る、相手の気持ちをどこまで考えられるか。そして正直に素直で、明るく元気にお客様に向き合うこと。お客様だけでなく、仲間や取引会社や職人さんに対しても同じくです。そんな人は、絶対に好かれるではないですか。好かれる人にはどんどんチャンスが巡ってくるものです。人生が、どんどんいいスパイラルになっていくものなのです」

また、近藤は先を見据えた仕事をするようにとのアドバイスもくれた。このような行動をすれば、こう言う結果に結びつくと言う〝原因と結果の法則〟を身につけよ、と。そういった想像力を常に携え、養いながら仕事に取り組んでいくことで成長は早まると語る。そして決めた目標は声に出せとも言う。目標に対する進捗状況は、常に会社としてチェックをしているが、目標を言葉にし、周囲に発信することでやる気や責任感はおのずと変わると言うのだ。有言実行。たとえ実行できなくても、発信している分、次の一手を考える癖がつく。それは必ず成長につながっていくと近藤は断言する。

学歴不問・実力主義に、嘘・偽りなし

近藤の目標、夢は、東北ブロックで売上100億円を達成し、事業部長など全国を見ながら経営判断を下すことができるポジションを掴むことだ。

「こんな大きな目標も、日本ハウスHDなら達成可能なのです。学歴不問・実力主義に嘘・偽りはありません。冒頭のご紹介のとおり、私は専門学校卒。建築の知識は皆無で入社した、まったく畑違いの出身です。でも、いまでは統轄店長になることができていますし、執行役員も命ぜられています。若い人に言いたいのは、どうせやるなら出世しようよ、ということです。ポジションを掴めばより大きな仕事ができますし、収入もアップします。統轄店長は支店だけでも部下は40名を超えていますからプレッシャーがないと言えば嘘になりますが、私はそれを乗り越えて、もっともっと上に行きたいと考えています。執行役員は、あくまでも通過点と捉えています」

頂点を目指せ！

［2章］

社員がワクワク、ドキドキと働けば、必ずお客様も喜ばれる。そんな魅力あふれる組織にしたい。

高橋稔和 Toshikazu Takahashi

執行役員　北海道ブロック　統轄店長兼札幌支店長

昭和48年7月17日生まれ。札幌電子専門学校卒業。
平成6年4月入社。日本ハウス事業部　札幌西部支店入社し、営業職として配属される。平成24年、旭川支店長、平成30年、北海道ブロック統轄店長、令和3年11月（第54期）より、執行役員に就任。
人生理念・モットー「人の縁を大事にし、仕事を通じて自己成長を図る」
好きな言葉「チームワーク」

勉強もそこそこ、スポーツは苦手。平凡そのものだった

北海道ブロック　統轄店長。全道における目標数字達成の責任を担いつつ、各拠点長を取りまとめ、諸問題を解決する。さらに人材の採用計画を立て、教育・研修を実施し、組織力向上を図る。

高橋の役割は多岐にわたる。統轄店長とは、言ってみれば中小企業の経営者のようなものだ。札幌支店だけでも60名、全道を合わせると182名の部下を率いる。判断を間違えば自分だけでなく、チームメンバーにも大きな影響を及ぼすことは言うまでもない。日々、プレッシャーを背負いながら、しかし同時に大きなやりがいを感じながら戦い続けている。

27年前、当時20歳の高橋を知る者からすると、いまの姿はおよそ想像できないものだろう。本人の志向はもちろん、見た目からして営業タイプではなかったからだ。バイタ

リティもなく、目立つ存在でもない。学校の成績も特段いいわけではなく、スポーツも苦手だ。どちらかと言うと裏方でひっそり、のんびりとやっているほうが性に合っている人間だった。

商業高校を卒業して、情報系の専門学校に進んだ。ソフトウェア開発会社への就職を希望していたが、卒業した先輩がたくさん活躍している会社だと、先生から日本ハウスホールディングスを紹介された。正直、何をやっている会社なのかも知らなかった。求人票を見ると事務職も募集している。事務なら自分の性格にもあっているし、学歴不問という言葉も魅力的だ。給料も、学歴や社歴、地域性関係なく、本人の努力に報いると言う。ここなら専門卒の自分でも気持ちよく働けそうだ。そんな軽い気持ちで入社を決めた。

運命を感じた巡り合わせに、やる気スイッチが入る

高い志なんてなかった。配属先を決める面談時、札幌以外では働きたくないと伝えた

ところ、研修担当者に『札幌に残りたいなら営業しかない』と言われ、それで営業をすることにした。営業はものを売る仕事だな。そんなくらいにしか理解していなかった。

当時の営業方法は、飛び込み一辺倒。3棟決めるまでは車に乗ることも許されず、展示場に足を踏み入れることも許されていなかった。こうして、朝から晩まで個人宅のインターホンを鳴らす日々が始まったのだった。

「そもそも営業なんてやりたいわけではなったので、気が向かずにやっていました。知らない人の家をピンポンするなんて性格的にも無理。『やれ!』と言われていたから、ただ惰性的にやっていました。こんな気持ちでやっているのだからうまく行くはずはないですよね。全然、相手にされず、話すら聞いてもらえないので、契約なんて決まるわけがないと思っていました」

そして入社して2ヶ月後のことだった。高橋に不幸が襲う。弟を不慮の事故で亡くしたのだ。自分自身、とてもショックだったが、それ以上に父親の落胆ぶりはとても大きく、深いものだった。

会社を辞めて、父のそばにいてあげたい。でも、何も手が付かない父のもとに、収入が無くなる自分が戻っても迷惑なだけではないか。

ため息ばかりつく高橋。そんな姿を見て心配してくれたのだろう。上司が葬儀に参列してくれた際に、両親に声をかけてくれた。気遣いの言葉をかけてくれるのと同時に、高橋の今後の頑張りに対する期待も伝えてくれた。『弟さんの分まで、高橋君を一人前の大人に、社会人に育てます』と約束してくれた。

ありがたかった。本当にありがたかった。会社に入ってきたばかりの新人に、ここまで寄り添ってくれるとは…。高橋は再び、仕事に舞い戻った。

7月17日。札幌に帰ってから、最初の日曜日。気持ちがまだ沈んでいる中で飛び込んだ。すると出てきた方が、なんと話を聞いてくれるではないか。会社のこと、家のことを、あまり多くない引き出しを引っ張り出しては、無我夢中で話す高橋。それに対し耳を傾けてくれたお客様は、最後には宿題もくれ、次の約束もいただくことができたのだった。

「あっ、俺、アポが取れた」。その日は、高橋の誕生日だった。

「あとは先輩が全部組み立ててくれて、正直、私は横に座っていただけのようなものなのですけれど、めでたく初受注となりました。ちょっとこじつけかも知れませんが、誕生日にこういうことがあって、何かの運命なのかなと。神様からこの仕事を頑張れ！と言われているような気がして、一人で妙に納得してしまいました」

苦しさに目をやるのではなく、楽しさを発見する大切さ

11月から始まった自分にとっての2期目は、8棟の成約をあげた。1棟目のお客様との出会いから仕事に対する考え方ががらりと変わり、飛び込み営業が楽しくなった。自分できっかけをつくって、物事が動いていくことが面白くて仕方がなかった。

だからと言って、ドアが簡単に開くわけでもない。朝から門前払いの連続は以前と何ら変わらない。一日２００件、２５０件とインターホン越しにつれなく断られる。

「でも、その中で1件でもドアが開いたら、すべてが救われた気持ちになったのです。次に何か資料をお持ちするお約束をいただけたら、もう心の中でよっしゃー！と叫ぶくらいうれしい。これがなんだか面白くなってきて、クセになってしまったのですよ（笑）。

もともと私は札幌出身ではないので、親戚縁者も無く、何かのつてがあるわけではありませんでした。だからお客様との接点は飛び込みしかないのだと、そう腹をくれたのも、その頃でした」

入社2年目に半期で5棟を成約。見事、金バッジを獲得した。大好きだった弟を亡くし、その後、父は肺がんになって手術を経験していた。大切な家族。もっともっと親孝行がしたい。そんな中での金バッジ獲得。帝国ホテルで盛大に催された表彰式に、高橋は両親を招いた。弟を亡くしてからあまり見たことがなかった父、母のこぼれんばかりの笑顔を見て、高橋はさらなる成長を心に誓った。

金バッジ獲得は、自分の力ではなく、後輩のおかげ

その後の高橋の活躍は、目覚ましいものがあった、と言いたいところだが、2回目の金バッジを獲得するのは入社9年目のことだ。

1年目、2年目は勢いに任せた営業をしていた。当時は、日本ハウスHDが元気な時

代で、次々と契約を決めてくる先輩がごろごろいたそうだ。その背中を憧れの眼差しで見ていた高橋だったが、3年が過ぎ、4年目、5年目となると、仕事に慣れが出てきてしまっていた。

あと1棟決めれば金バッジ獲得。そういうことが何度もあったが、あまり悔しくはない自分がいた。それなりに契約しているし、その分だけ賞与にも反映されている。収入が少ないわけでもない。会社の業績がどうなっているかなど、まったく興味がなかった。

「いま思うと目標達成意識が低く、モチベーションがそこまで上がらなかったのです。でも、いまは当時と違い、金バッジ獲得による明確な昇格基準が定められています。だから若い人にはトップを目指して金バッジ獲得に邁進して欲しい。これは一度、躓いた私からの切実なアドバイスです」

入社9年目の平成14年。日本ハウスHDは大きな変革期を迎える。成田会長が、三代目社長として指揮を執ることになったのだ。組織も統合され、高橋が所属していた札幌も2つの支店が1つの支店に統合された。時を同じくして、先輩や上司も次々と辞めていった。

なんだか変だぞ。

高橋に緊張感が走った。これまで聞かされていなかった会社の業績を、成田新社長はつまびらかに公開した。これはマズい。うちの会社は、こんなにマズい状況だったんだ…。

「火事場のなんとやらではないですが、ここでもう一度、背筋を伸ばして仕事に打ち込むことができました。先輩たちが辞めて行って、望んではいませんでしたが半強制的にリーダーを任され、小さいなりにも自分の班を持って部下が付いたのですね。それまでは自分のことをやっていればよかったですし、場合によっては助け船をお願いすることもできました。でも、リーダーともなれば、自分が助けなければならないわけです。立場が人を育てると言いますが、これはすごく勉強になりました。同行してサポートする中で、自分に足りないものや強みも再発見できたのです」

後輩に同行することで視野が広がり、提案力も格段にアップした高橋。それは勢い、自分の成績にも反映されていく。金バッジの獲得。この時、高橋は一つの気づきを得たのである。

「それは、この金バッジの獲得は、自分の力だけではできなかったということ。そのことを痛切に感じたのです。後輩たちの同行をしたおかげ、つまりは彼らのおかげで獲得できたのです」

16年間の営業キャリアで、金バッジ獲得は通算10回。この数字は、決してトップセールスのものではないことは、高橋が一番自覚している。最高位でも全国3位。金バッジを連続で取り続けてきたわけでもない。自分でもずいぶんと遅咲きで、遠回りしたと思っている。でも、自分にはちょっとだけ自信を持っている部分がある。それはチームワークを大事にすることだ。チームをまとめ、みんなの力で勝つ集団をつくることに、価値を感じ、より大きな達成感や喜びを得られると思っている。

チームワークを大事にし、後輩や仲間たちと力を合わせれば、どんな困難なことにも立ち向かえ、必ず勝てる。2回目の金バッジ獲得で得たその思いは、現在の高橋の組織運営力の礎となっているのである。

高橋は言う。もし仕事に慣れが生じているなと感じているなら、いまよりさらに後輩のサポートに力を入れなさいと。きっと自分にはない視点や発想に気づかされ、お客様から、後輩からの期待に応えようと努力するはずだ。それは必ず、自分の財産となって蓄積されていくものだとエールを送る。

継続は力なり、を地で行く男

ご紹介したように、高橋は入社当初からスター街道を走ってきたわけではない。なかなか気が向かないまま仕事をし、途中で慣れも出て、金バッジをあと一歩で逃しても悔しくとも何ともなかった、ごくありきたりの社員だった。しかし、彼がこうして昇格を果たし、200名に迫る部下を率いるまでに成長したのには、一つの大きな事実がある。

それは、

辞めずに続けたこと。

である。

何度も辞めようと思った。憧れの先輩が退職していって、目標を失いかけたこともあった。同業他社に転職した仲間から誘われたことだってある。話を聞けば、うちより条件がいい。働く環境も楽そうだ。でも、そのたびに高橋は首を横に振り、思い直した。隣の芝生は青いと感じるものだ。よくよく考えると、うちの芝生のほうが実はもっと青々としているではないか。これから先、もっともっと青々と芝生が広がっていくではないか。

「この仕事は決して楽ではありません。特に会社に入った頃は右も左も分からないし、不安だらけだと思います。　土日も休みではありませんから、一般的な企業に就職した友人を羨ましく思うこともあるでしょう。私もそうでした」

それでも辞めなかった理由は、まず人との出会いに恵まれたということ。お任せいただいたお客様、憧れた先輩、指導いただいた上司、ともに競った同期やライバルの存在がとても大きいと高橋は言う。そして、この住宅営業の奥の深さが、自身を惹きつけてやまなかったとも語る。深いがゆえに喜びや感動というものをたくさん手にすることができるこの仕事が、楽しくて仕方がなかったのだ。

たとえばお客様のご職業はさまざまだ。大学教授の方もいれば、企業経営者、刑事や人の命を救うドクターもいる。自分にはないいろんな経験や知識を持った方と接することは、普通の仕事ではおそらく皆無だろう。しかも、これからの暮らしや家族、家への思いなど、非常にプライベートな領域を話し合うのだ。一つひとつの体験が勉強になり、それらはこれからの自分の人生に必ず役立って行く。高橋が言う深みとは、そう言うことだ。

また、この仕事はお客様からの反応がダイレクトに返ってくるため、どれだけ自分が信用されているか、信頼を寄せられているかが分かる。輪がどんどんと広がっていって、やがて紹介もいただけるようにもなる。しかし、それは一朝一夕には手に入るものではない。経験を積み、積み増していくことによって手にできるのだ。

だから高橋は辞めなかった。続けていたからこそ、多くのものを手にしているのである。

「若い人に理解しておいて欲しいのは、この仕事は〝時間がかかる〟と言うことです。私が入社した頃と違い、そう簡単に契約が決まる時代ではありません。私たちが1年で経験できたことが今では3年はかかります。契約が決まった、断られた、クレームを受けた、感謝された、いいことも悪いことも3倍の時間がかかってしまうのです。だから、それらを経験しないうちに結論づけて、簡単に辞めるのは本当にもったいない。それだけは止めて欲しい。3年で5棟を受注する、支店全員が協力して必ず決めさせる。これは会社全体の約束事項ですから、迷わず信じてついてきて欲しいです」

300棟、96億円、ランキング7位へ

日本ハウスHDは、かつて北海道エリアでは新規棟数トップクラスの指折りの会社だった。それが今では10位前後にまで落ち込んでいる。そこで高橋が掲げた目標は、今後3年間でランキング7位に引き上げること。具体的には新築棟数300棟、売上96億円だ。

会社全体の目標として、過去最高実績の3分の1まで戻すというミッションがある。300棟を達成できれば、北海道ブロックの過去最高の3分の1に到達できる。目標とは言ったが、高橋曰く、これはコミットメント、公約だそうだ。

「以前、会社創立50周年の祝賀会に参加した時、成田会長からメッセージがありました。その中に、『住宅産業の仕事は決して楽ではない。楽な仕事ではないのだから、少なく

とも我々社員がワクワク、ドキドキ、楽しく仕事ができる会社に、まずは自分たちの手でつくろうよ』という言葉があったのです。私はこの言葉にすごく共感し、感動もしました。社員がワクワク、ドキドキできる会社なら、きっとお客様にも喜んでもらえるはずですから」

だから高橋は、北海道ブロックを、そんな雰囲気で包まれた組織にする。せっかく縁があって出会った仲間なのだから、同じ目標を持って走ってくれるように、しっかりとフォロー・指導を徹底していくと誓う。道内各拠点の店長と同じ空気感、目線で団結できれば、絶対に数字はついてくる。そう信じている。

「ありがとう」の言葉に喜べる感性を磨け

結果がなかなか出ない人へ、最後にひと言。伝えたいのは、商品の魅力を語ることも大事だが、それらを必死で説明するよりも、まずは人間性を買ってもらいなさいと言うことだ。

では、その人間性はどこから生まれるのかと言えば、〝何をしたら喜んでもらえるのか、自分には何ができるのかを真剣に考える〟ことだと語ってくれた。

「私も入社当初に先輩から言われたことなのですが、目の前のお客様が、もし自分の親兄弟、親戚だったらどういう対応をしようと思うか、と言うことです。お客様と言っても、どこかで〝他人〟と思っているようでは、思いや情熱は相手に伝わりません。あなたに大事にして欲しいのは、『ありがとう』と言われることに喜びを感じられる感性を磨くことです。売らんがために言う言葉は、しょせん薄っぺらい。本当にお役に立ちたいという思いは、自然と行動に、表情に出るものですし、相手に好意的に伝わるものなのです」

お客様の思いや不安な気持ちを先回りして考え、答えを用意する。成果が出る人は、お客様はもちろんのこと、周囲の仲間にも取引先にも職人さんにも、同じように接しているものだ。その心構え、感性を磨くことこそが、日本ハウスＨＤで活躍する一番の要素だと高橋は言いたいのだろう。高橋は続ける。

「あとは、人に負けたくないとか、納得いくまでやり切ろうとか、そういった根っこの部分の強い思い、信念みたいなものを持っている人は強いです。入社当時の私には、両親に会ってまで仕事を続けることの大事さを教えてくれた上司の思いに応えたいという気持ちと、家族を笑顔にしたいという根っこがあった。そして仕事を続けることで気づきがあり、いまに至る訳です。ぜひ若い方には小さくてもいいので目標を持ち、自己実現するための可能性を見つけて欲しいと思います」

頂点を目指せ！

［3章］

もし、あの時に
辞めていたら
その後の人生は、いったい、
どうなっていただろう。

佐藤正佳 Masayoshi Sato

札幌支店　営業課　次長

昭和59年1月18日生まれ。北海学園大学　電子情報工学科卒業。
平成19年4月入社。日本ハウス事業部　札幌支店入社に配属。以来、札幌支店でキャリアを重ね、平成28年11月、課長、令和2年11月、次長に就任し、東奔西走の毎日を送る。
人生理念・モットー「日々、感謝の心を持って生きること」
好きな言葉「感謝」

成果を出す前に結論を出すのは、絶対によくない

「会社を辞めさせていただきます」

入社4年目のこと。佐藤は、高橋統轄店長が札幌支店で営業リーダーの時に、こう切り出した。

会社からは常に『石の上にも3年だ』と言われ続けてきた。辛くて、苦しくても、その言葉を信じて頑張ってきた。同期は次々と受注していく。正直、焦りもあったし、負けたくもなかった。だけど、結果が付いてこない。そうするうちに3年が過ぎた。俺は約束の3年を果たしたぞ。でも、結果は出ないじゃないか。もうやってはいられない。辞める、何と言われても辞める！

少し困った表情を見せた高橋に、佐藤は念を押すように言った。

「これはもう決めたことなんです」

その言葉を聞いて、高橋は、佐藤の目をじっと見つめてこう言った。

「分かった」

しかし、こうも続けて言った。

「分かったけれど、最後にご飯を食べに行こう」

終業後、食事に連れ出された。今、思い返しても食事の味も、酒の味も覚えていない。ただ、高橋の包み込むようなやさしい眼差しと熱い思いだけは明確に記憶に残っている。

「いろんな話を聞かせていただきました。高橋さんも、決して最初から優れた営業マンではなかったこと。一つのきっかけで意識が変わったこと。そして先輩や上司は、真剣に私の成長を願ってくれていること…。共感できることもたくさんありましたし、ありがたいな、自分はすごくいい環境に居させてもらえているのだなという気づきもありました。中でも一番うれしかったのは、私が努力していることを理解してくれていたことです。君の頑張る姿はちゃんと見ている、負けたくないという根性もすごくあると、高く評価してくれていたのです」

高橋は、『だからこそ』と言ったそうだ。だからこそ、結果を出す前に辞めてしまうのはもったいない。せっかくこれまで苦しんで、苦しんで、努力をしてきたのに、大きな成果を残さずに辞めるのは本当にもったいな過ぎると。今一度、金バッジを目指してみろと発破をかけられた。

親孝行という言葉に共感して

佐藤は、大学では電子情報技術を学んでいた。住宅業界はもちろん、営業職に進むことはまったく考えていなかった。父親がクルマのディーラー営業をしており、その大変そうな姿を見ていたため、むしろ営業だけはやらないでおこうと決めていた。

日本ハウスホールディングスは、地元ではそれなりに名の通っていた会社だった。「社名は聞いたことがあるな」という程度だったが、面接を受けてみることにした。そこで佐藤は、面接官の言葉に心を打たれる。それは社員心得50項目にある〝親孝行〟という言葉だった。

「いろんな会社に面接に行きましたが、親孝行という話が選考段階で出た会社なんて他にはありませんでした。私も両親にはとても感謝していましたし、社会人になったら親孝行がしたいと思っていましたから、この会社は素晴らしいと。日本ハウスＨＤのお客様に対する向き合い方などを聞くうちに営業にも興味が湧いてきて、父に相談したところ応援もしてくれて。それで入社を決めました」

量をこなすことで満足をしていては、結果は出ない

父親からも営業は決して楽な仕事ではないと聞かされていたし、会社からも同様に言われていた。だから石の上にも3年の言葉を呪文のように繰り返し唱え、頑張ってきたつもりだ。だが、実際には初受注まで1年と1カ月を要した。その後も鳴かず飛ばず。年間2棟、3棟がやっとだった。金バッジなんて遠い、遠い存在。自分には縁がない、獲れるわけがないと思っていた。

高橋と会話をし、かけられた言葉やアドバイスに耳を傾けるうちに、佐藤は心に一つの思いが芽生えてきた。

努力しているし、サボっているつもりもない。でも、待てよ。結果が出ないということは、俺は自分で努力している〝つもり〟になっていなかったか。心からやり切ったと言えるだけの本気を出していただろうか。

「そこから行動への捉え方がまったく変わったのです。今までは〝量〟を追いかけ、その数字で満足というか、言い訳をしていたのですね。でも営業はある意味、結果がすべて。いくら量をこなしたって、アポイントをもらえないのではやったことにはならないと言うことにようやく気付けたのです」

訪問やテルコールは、お客様から何らかの宿題をいただけるまで愚直に繰り返した。『家づくりは考えているけど、もう他社さんに相談している』と言われたお客様へのフォローアップは、時間が経つほどにどうしても諦めの気持ちが先に立つ。でも佐藤は、ここでも考え方を改めた。俺は自分で勝手にお客様の判断を決めてはいやしないか？　もう電話をかけても無駄だろう、以前に断られているのだから、また連絡を取っても仕方がないだろう。そうやって可能性を狭めていたのは他ならぬ自分自身だ。とにかく話を聞いてくださるお客様を一人でも増やそうではないか。

商談の進め方やヒアリングのやり方、提案内容も、高橋の同行により、少しずつ変化していった。たとえば札幌支店では、土地を同時購入される方が圧倒的に多い。これまでの佐藤は、出された希望・条件に適合した土地を探し、提案していた。だが高橋は、そこに自分なりの発想・提案を組み込みなさいと指導してくれた。

「つまり、この土地なら、こういった生活ができるなど、建てた後の暮らしが想像できる情報提供とか、ここの部分は希望・条件に合っていませんが、その分、価格が安いですとか。条件には合っていない分、逆にこういった利点がありますよ、価格が安い分、家にプラス予算が充てられますよ、と言った具合です。そう考えることで、提案の幅がぐんと広がり、成約率もアップしていきました。いままでは本気でお客様のことを考えていなかったのだと、痛感させられました」

入社5年目に金バッジを獲得。以来、合計13回獲得した。金バッジなんて夢の話、獲れるわけがない、そしてもう会社を辞めます、とまで言った男がである。

佐藤は言う。意識が変わるきっかけが、続けていればどこかで必ず来ると。そして先輩や上司は、本気で育てようとしてくれているのだと。そこにさえ気づき、行動が変容さえすれば、壁にぶち当たっている人も必ず成功できる。自分も悩みながら進んできた。だからこそ、その思いを強く後輩たちに伝えたいと語る。

周囲の人との関係性を深めること。それがいい仕事につながる

おらがおらがの「が」を捨て、おかげおかげの「げ」で生きよ。

天台宗の開祖、伝教大師　最澄の言葉に、『己を忘れて他を利するは慈悲の極みなり』というものがある。解釈すれば、『自分のことは後にして、まずは人に喜んでいただく。それは仏の行いであり、その行為で人は幸せになる』といったところだろう。佐藤は振り返る。４年目までは結局のところ、自分のことしか考えてなかったのではないだろうかと。頑張ることはいいことだ。だけど、おかげへの理解が足りなかったのではないか。

「家は営業一人で建てられるものではありません。設計や取引会社、職人さん、事務、工事、インテリアの方々など、みなさんの力があってこそ、いい家が建つものです。日本ハウスHDには、日盛会という職人さんの組織があって、その絆はすごく深いものがあります。だから入社してすぐは現場の理解、そして職人さんとの関係性を構築するために営業も現場に足を運び、掃除とかちょっとしたお手伝いをして名前と顔を覚えていただくのです。もちろん私もやりました」

これは偶然なのだろうか。いや偶然ではないだろうと、高橋も、佐藤も述懐する。仕事への考え方を改めた入社4年目に、職人さんからお客様を紹介してもらえたのだ。しかも2棟もだ。通常のルールでは、紹介は営業リーダーに付けられる。だが、職人さんは『佐藤君にお願いしたいんだ。彼、すごく頑張っているから』と佐藤が担当となるように強く推薦してくれたそうだ。高橋もそれに応え、了承する。このことが佐藤の大きな自信につながったことは言うまでもない。

一方で、こんな経験もあった。入社3年目のことだ。お客様から『担当を変えてくれ！』と言われたのだ。理由を聞くと、内観のイメージを何度伝えても希望するものが出て来ない。これでは話が全然前に進まない、と言うことだった。

「原因は私にあって、お客様からの要望は設計に伝えて図面やパースなどにしてもらうのですが、先輩方も忙しそうにしているので、何度も何度もお願いするのに気が引けて。それで自分でやってしまえと思って、見よう見まねで描いて提出していたのです。デザインなんて素人同然の営業が描いたものですからね。お客様もご納得されませんよね」

お客様に対しても、社内に対しても、普段からしっかりとコミュニケーションを取り、関係性を深めていく努力の重要さに気づいた佐藤。約束事を漏らさないために行う筆談の重要性も再認識したと言う。いまでは商談時だけでなく、定期訪問やちょっとしたご挨拶の立ち寄り時にも、筆談シートを欠かさず持って行くそうだ。

金バッジ表彰式の舞台に立てば、見える世界が変わる

佐藤の役割は、自らの営業活動の傍ら、次長として部下の育成を行うこと。高橋統轄

店長と力を合わせ、支店目標をみんなの力でクリアすることである。個人目標としては、金バッジ獲得は必達事項で、常に1位を意識して行動に落とし込む。チーム目標としては同行受注に注力し、チーム全員が理想だが、最低でも2名は金バッジを獲得させ、表彰式に連れていくことを決意している。

「金バッジ表彰式に一度でも参加するとガラッと意識が変わります。見える景色が全然違ってくるのです。私も5年目に参加して、それまでは獲れないと思っていたのが、連続で獲ることに意義がある、次も絶対に外せない！と思うようになりました。それにようやくですが、親孝行ができた。両親を表彰式に招待したら、すごく喜んでくれて。『おめでとう！おめでとう！』と何度も背中を叩いてくれて。もっともっと親孝行がしたいと思いました」

4年目以降に意識が変わり、5年目には花を咲かせた。その後も成績を残し、昇格とともに部下を育てるミッションが与えられている。佐藤が成功体験を積む中で実感しているのは、社員心得の〝三つの喜び〟の大切さだ。「感謝」の喜び。「団結」の喜び。「勝つ」喜び。これは高橋統轄店長が最も大事にしていることであり、高橋の教えのもとで成長してきた佐藤の羅針盤であると言ってもいい。

「一人で成し得ることなんて、そんなに大きなものではありません。でも二人、三人、チームとして束になって成功すれば、手にするものはとてつもなく大きくて強いものになります。感謝しながら団結し、勝つ。これをチームみんなで共有し、形にしていきたいと考えています。いま同行営業に力を注いでいますが、まずは自分がやって見せながらも、やらせなければ人は育たないと感じています」

経験が浅いメンバーにはとことん伴走しながら、要所、要所で任せて自信をつけさせる。それが佐藤に課せられた達成目標だ。それをクリアした時、高橋統轄店長のような、もっと多くの人の上に立てる人物に成長できていればと、将来像を思い描く。

商品開発に頼らない気構えを持ち、戦略を練る

日本ハウスＨＤが他社より優れている点。魅力はたくさんあるが、中でも特筆すべきは日盛会の存在だと佐藤は言う。他社には無い、真似のできないこの体制こそが、うち

の最大の武器だと言い切る。それは圧倒的な差別化であり、感謝しなければならないことだ。職人さんと一緒に力を合わせてお客様の家づくりができることは絶対的に幸せだし、佐藤はシンプルに大好きなのだ。

また、世の中には売りっぱなしの会社がたくさんある中で、日本ハウスＨＤは真逆のスタンスであることにも胸を張る。保証やアフターサービスにも力を注いでいるし、何より、お客様の家がある限り、日本ハウスＨＤが存在する限り、アフターサービスを行い続ける。これは成田会長の方針だ。こういった方針を出してくれることも、お客様に安心・幸せを感じていただける制度を次々と整えてくれることにも感謝だと語る。

「新商品の開発を見ても、常にお客様にとってうれしいこと、プラスになる家づくりは何かを考え、手を打ってくれます。でも、商品について大事なのは開発任せであってはいけないと言うことです。お客様に商品をお届けする最前線にいるのは私たち営業ですから。お客様のニーズをしっかりと掴み、そのニーズを当社商品であればどのように叶えることができるのかを考え、戦略性を持って営業していかなければならないと感じています。せっかく用意してくれた商品を生かすも殺すも営業次第。そこは紙一重の差で決まると思っていて、提案の仕方を間違ってしまうと大きな成果を生み出すことはできないだろうと言う、危機感を持って取り組んでいきます」

家づくりという一大事業を任されることを意気に感じて

「この章を読んでいただいてお分かりのように、私は遅咲きですし、要領よくやれるタイプでもない。コツコツと努力をし続けて、やっと花開いた営業です。入社して3年間、がむしゃらにやってきて結果が出なかったから、一度は辞めようと思った人間です。でも、自分でも考えるとちょっと恐ろしいのですが、あの時、辞めて転職していたら、私の人生はどんな転び方をしただろうと。もちろんいい仕事に出会ったかも知れません。でも、いま間違いなく言えるのは、結果が出るまで日本ハウスＨＤで頑張ってよかったと言うことです」

入社した全員が、住宅営業に合っているかどうかは分からない。でも、高橋が言ったように、実際に佐藤が体験したように、結果が出ないまま辞めるのはもったいない。せめて納得いく結果を出し、成功体験をしてから判断して欲しい。それが高橋、佐藤だけでなく、全社の思いである。

「まずは3年間、私たちを信じてついてきて欲しい。がむしゃらに頑張って欲しいです。なぜ続けて欲しいのかと言うと、家づくりは人生の中での一大事業です。そんな家づくりを、自分を信じて任せてくれるなんて、これほどうれしいことはないからです。任せてもらえたからには、お客様が喜び、安心してくださる提案をしなければなりません。単に契約を決めてお金貰って、では続きませんし、そういう考え方は見透かされますから信用してはもらえません。逆に言えば、人に信用してもらう、頼ってもらえるというのは、人間にとって一番の喜びではないでしょうか。その体験をあなたにも味わっていただきたい。必ずできます。私もできたのですから」

頂点を目指せ！

［4章］

先輩が後輩に営業ノウハウを包み隠さず伝える会社なんて他にはなかなかないと思う。

松田雄治 Yuji Matsuda

鹿児島営業所　所長

昭和53年8月1日生まれ。宮崎県立延岡商業高等学校卒業。
平成19年2月入社。宮崎支店　営業課に配属。以来、宮崎支店で経験と実績を重ね、平成28年11月、主任、平成30年11月、係長、平成31年11月、課長に昇進。令和3年11月（第54期）より、鹿児島営業所　所長に就任し、自らの営業活動と後輩指導に汗を流す。
人生理念・モットー「誰に対しても、間違ったことは間違ったと言えるように」
好きな言葉「素直さ」

住宅営業の資質とは、人の喜ぶ姿を見るのが好きなこと

松田は、日本ハウスホールディングスに中途採用で入社した。高校卒業後、就職先に選んだのは愛知県犬山市のホテル。あの国宝に指定された犬山城で有名な町だ。

なぜ松田がホテル業界を選んだのかと言うと、結婚願望が強く、ホテルに入社すればたくさんの披露宴が見られて、感動のお手伝いができると思ったから。また、旅行も大好きで、名古屋に近い犬山市なら東京にも、京都にも、さらには日本海側に行くのにも便利だと思ったからだそうだ。

そんな松田が故郷の宮崎に戻ったのが27歳の時。同じホテルに勤めていた女性と結婚し、子どももできたことをきっかけに、人生の新たな一歩を踏み出そうと決めたのだった。ハローワークに出かけ、求人票を見る中で、たまたま目に留まったのが日本ハウスHD。住宅業界のことはまったく知らなかったが、結婚もして子どももできたいま、住宅

は暮らしの中でとても重要なことに思えた。特に子育てをする自分たちの年代ならなおさらのことだ。何らかの形で家づくりに携われたら面白いのではないだろうか。そう考えたのだ。

何らかの形。そう、この時点で松田は、営業になる気はさらさらなかった。志望は事務職。ホテルでの仕事は接客業ではあるものの、こちらから何かを積極的に売り込むと言うものではなく、言ってしまえばお客様をおもてなしする〝裏方〟だ。だから日本ハウスＨＤでも、事務職としてお客様の家づくりをコツコツと後方支援できればいいな。そう思って面接を受けたのだった。

しかし、面接官の当時の支店長からは、『事務はいつでもできる。まずは住宅業界、家づくり全体を知るために営業を経験してみてはどうか？』と提案された。確かに住宅業界のことなんて何も知らない。もともと接客業だったから、人と話をすることは苦にならないし、お客様が喜ぶ顔、姿を見るのは大好きだ。松田は二つ返事で了承をした。

「営業未経験者、そして住宅の知識が皆無の者と聞けば、ずいぶんと苦労しただろうと思われるかも知れません。でも私の場合、毎日が楽しくて仕方がありませんでした。基礎や土台、切妻、寄棟…。こんな家づくりでは当たり前の用語を何一つ知らない私に、マイスターが毎朝、早朝訓練で教えてくださったのです。まるで専門学校に通っているような気分で、お金をいただきながら学べるなんて最高だと思っていましたね（笑）。新しい知識がどんどん得られるのが新鮮で、営業活動も嫌だと思ったことは一度もありませんでした」

仲間を助け、みんなで成果を掴もうと言う文化

マイスター制度は、日本ハウスＨＤが誇る素晴らしい教育システムだと松田は言う。松田を指導してくれたのは、ひと回りほど年上のベテラン社員。住宅・建築用語の意味を、一つひとつ根気よく教えてくれた。マイスターが休みの日に商談が入った時も、嫌な顔一つ見せず、同行してくれた。家に招かれ、食事もふるまってくれ、会社ではなかなか言えない愚痴も聞いてくれた。まさに公私にわたり、家族ぐるみでのお付き合い。こん

な会社なんて他にはない。松田はいまでもそう思っている。

「マイスター制度があったから、いまの私がある。これは確実に言えることです。当時、マイスターではない別の先輩から言われたことなのですが、営業テクニックもツールも、すべて後輩に伝授する会社なんて他にはないよ、と。会社全体はもちろん、支店単位でも隣の人はライバルなのが普通ですが、当社は助け合いが当たり前。助け合いながら全員で契約を決めていこう、仲間を助け、人を育てよう、と言うスタンスなのです。足を引っ張られることなんてないですし、実力主義だから、残した実績に対してはきちんと評価してくれる。さらに周囲の人もより認めてくれるようになるのです。こんな制度、こんな文化は、他の会社ではなかなか手にできないのではないかと感じています」

念には念。少しでも気になれば絶対に放っておかない

営業は、感動と失敗の連続だ。お客様から『ありがとう』と言われて感動し、クレームを受けて反省する。もちろん失敗はよくないことだが、そこから学ぶことはおおいに

ある。失敗を恐れず、自分で考え、行動すべし。そう言った会社の方針も、松田は気に入っている。

いまでも、ことあるごとに思い返す大失敗がある。入社２年目のことだった。自分と同じくらいの年齢のご夫婦で、同世代と言うことから話が弾んだ。打ち合わせもスムーズに進んでいった。しかし、こう言う時こそミスが出るものだ。さすがに松田も入社２年目とは言え、社会人経験は長い。だから用いる材料や資材の確認には、一つひとつ「これでいいですね？」と念を押した。

だが、家が建ち始め、屋根瓦が葺かれた時、問題が起こった。『瓦の色のイメージが違う！』とクレームが入ったのだ。

打ち合わせでお見せする瓦は１枚。これだけで決めてしまうと、後々トラブルになりがちだ。なぜなら瓦は何百枚もの数で葺かれ、１枚だけで見るのとでは印象が大きく違ってくるものだからだ。さらに打ち合わせは室内で行う。しかし家は屋外だ。照明の光と自然光とでは輝き方、反射の仕方が異なり、色の見え方が変わってくる。

「だから、実際に建てられたＯＢ宅をお見せもしていたのです。それで念を押したつもりでした。でも、お客様としては展示場で見た屋根のイメージがお気に入りで、その印象が強かったようなのです。『展示場と違うじゃないか！』とお叱りを受け、お客様には不快な思いを、会社には工事のやり直しと言う大きな損害を与えてしまいました」

家づくりは、確認することが山ほどある。松田はもう一度、自分の打ち合わせの進め方を見直してみた。膨大な決めごとをスムーズに進めようとするあまり、どこかで提案や確認が疎かになってはいなかったか。ＯＢ宅を見せたから大丈夫と高をくくっていた自分を反省した。お客様は間違いなく、展示場の屋根が素敵とおっしゃっていたではないか。形のないものをつくる難しさを、松田はつくづくと感じた。それと同時に、お客様の希望や思いを、しっかりとキャッチする重要性も学ぶことができた。

「以来、念には念と言いますが、念を押した後にも、まだ提案や確認が足りないところはないか、と反芻するように心がけています。少しでも気になることがあれば必ずご連絡・ご相談する。それが満足度の高い家をつくる秘訣だと考えています」

「失敗は誰でも経験はしたくないものですが、この経験は本当にいまの私の財産になっています。また、クレームをいただいたお客様ほど、逆に後々、頼りにされます。どれだけ真剣に向き合って、お付き合いしたかが如実に出る仕事。それが住宅の営業と言うものです」

「ここまでしてくれるんだ」。やがてそれは形になる

どれだけ真剣に向き合うか。これはとても重要なファクターだ。住宅営業は安いものを売る仕事ではない。さらに家は毎日過ごす大切な場所である。だからこそ、お客様は家づくりに真剣であり、要求も高くなる。もし自分が家を建てるとしたなら、当然、そんな気持ちになることだろう。だからこそ、真剣に向き合ってくれる人、家づくりの頼りになる伴走者を求めているのである。

それを裏付ける数字がある。日本ハウスＨＤにおける紹介営業は、全体受注の約５割も占める。いかに建てたお客様の満足度、評価が高いかが分かる。ただし、真剣に向き合った結果が形に現れるまでにはそれなりの時間がかかる。松田も、入社10年を過ぎたあたりから、ようやく紹介をもらえるようになった。

「先日、立て続けに2棟のご紹介をいただくことができました。1棟は10年前に建てていただいたお客様の息子さんが建てると言うことで、もう1棟は8年前に建てた方のお嬢さんが、ご友人をご紹介してくださって」

8年前は、まだ中学生だったその女性は、松田の打ち合わせ時の提案や、引き渡し後も、シャワーヘッドの調子が悪い、ドアのロックを見て欲しいといった細かな相談にも迅速かつ真摯に対応してくれる姿をしっかりと見ていたらしい。友人が家を建てると聞いて、『これだけちゃんとやってくれる人がいるよ』と話をしてくれたそうだ。

「決して紹介が欲しくてやっているわけではありませんが、私のお客様への思いがちゃんと伝わっていたのだと思うと、やはりうれしいですね。当社が紹介受注が多いのは、営業マン一人ひとりがそうやって努力をしているからですし、もっと以前に活躍されていた先輩方の頑張りのおかげだと感じています。その受け渡された財産は、絶対に無駄にしてはいけないと強く思っています」

「こんな会社なんてないよ！」。そう言って妻は喜んだ

入社7年目に金バッジを獲得した松田。最初に報告したのは妻。盛岡で行われる表彰式に家族を連れていくぞ！と喜色満面で伝えたが、意外にも妻の反応は薄かった。

「社長さんとか上司の方々とか、偉い人がたくさんいる中に行くのはちょっと…と。その時、4人目の息子はまだ赤ちゃんだったので、周りに迷惑をかけてしまうのではないかとしり込みしたのです。私たちは行かなくてもいいから、あなただけ参加してくださいって（苦笑）」

半ば強制的に連れて行った表彰式。松田はステージに誇らしげに立ち、もっともっと金バッジを獲得するぞと心に誓った。それほど表彰式は素晴らしいものであり、大きな自信とプライドを与えてくれる場であった。

それだけではなかった。無理やり連れてきた妻の意識もがらりと変化していた。彼女ももともとはホテルマン。だから企業が催すパーティも何度も見てきている。その彼女にして、今回の表彰式の規模や食事などの豪華さには目を見張ったそうだ。そしてなにより、

会場入りする際、社長や幹部が入り口で頭を垂れ、出迎えてくれたことに驚いた。

「こんな会社なんてないよ！って（笑）。参加した他の社員のご家族とも会話する機会があって、金バッジを獲ることの大変さも分かったみたいで。うちの夫は頑張っているんだなって、仕事への理解が一気に深まったようでした」

これまで通算6回の金バッジ獲得。いまでは表彰式の時期が迫ると、『数字はどうなの？』と聞かれると笑う。東京での表彰式の帰りにはディズニーランドに連れていくのが恒例なのだそう。だから子どもたちからも『パパ、頑張って！』と言われるとはにかむ。

「休みの日でも、打ち合わせが入るとお客様を優先します。帰りが遅くなる日もありますから、家族には日頃、いろいろと迷惑をかけていると思うのです。だから、できる限りいい思いをさせてあげたいですし、思い出もつくってあげたいのです。なので、今日もパパは頑張ります！（笑）」

一日一回、褒める。そしてプラスαのアドバイスをする

いち営業マンとして商談を重ねる傍ら、部下の育成にも力を注ぐ松田。組織のボトムアップは、業績を伸ばすためには不可欠だ。勢い、指導にも熱が入る。しかし、成長させよう、成長させようと力が入り過ぎると、どうしても指摘が多くなりがちになると反省を口にする。

「そうなると受ける側はあまり面白くないですし、モチベーションも下がりがちになるものです。だから、一日一つはその人のいいところを見つけて褒める。そしてそのあとに、さらにこうしたらもっと良くなると思うといったアドバイスの仕方をするように心がけています」

松田もマイスターを経験した。後輩に同行して感じたのは、先輩はこんなにも大変だったのだ、と言うことだと語る。自分が新人の時は、日中に同行してくれる先輩に対し、『この人たちはいつ自分の仕事をしているんだろう?』とのんきに考えていたものだが、実際にその立場になって、時間を調整し、効率よく働き、成果を出すことの難しさに直面

する中、松田は改めて先輩マイスターに最敬礼する。
これからは自分のことはもとより、部下や後輩を金バッジ表彰制度に連れていくことが求められる。自分が6回も金バッジを獲れたのは、本当に先輩方のおかげ。あれだけのいい思い、体験は、部下や後輩にも味わって欲しい。だから絶対に連れていくと、松田は心に決めている。

日本ハウスHDには、マイスター制度や研修、合宿など、手厚い教育制度が用意されている。しかし、それに頼り過ぎると指導がワンパターン化したり、マンネリになってしまうのではないかと松田は懸念する。ここ最近はコロナ禍と言うこともあり、交流が減っている。だから今後は、いままで以上に積極的に、他店の営業リーダーとのコミュニケーションや情報交換を行いたいと考えている。刺激をお互いに受けながら、人材育成、営業活動に生かしていければ、営業所、支店レベルを超えて大きな成長を果たすことができると目論んでいるのである。

「若手社員はとても真面目に仕事に取り組んでくれます。でも、少しクールなところもあって、仕事は仕事、と割り切っている節もある。もちろんプライベートまで仕事のことを考えろとは言いませんが、お客様に対してこれをやればいい、と言うレベルから、これも提供したい、もっとこうして差し上げたい、こうやったらもっと喜んでいただけるのではないか、と言う思考に到達して欲しいと願っています。それが仕事の面白さなのですから。引き渡し時に涙を流すお客様を見たら感動しますよ。それを生み出すのが、住宅営業の責務であり、醍醐味なのです」

ガラス張り経営が、人生の明確な指針を支える

実は54期より、松田は鹿児島営業所の所長に抜擢された。2名の部下を率い、これまでやってきたお客様に寄り添う営業と長所を伸ばす人材育成を継続しながら、大きな成果を残したいと意気込む。目標は、2年後の支店昇格だ。

「鹿児島営業所を支店にするためには、今いる2名の営業とともに結果を出すこと。そして同時に採用を行い、教育訓練を実施して、戦力を高めていくことが欠かせません。

数字目標は、受注3億5000万円、利益3500万円。これを実現できる体制を早急に構築したいと考えています。いままで先輩方にしていただいたことを、今度は後輩にしてあげることこそが、会社、そして先輩社員への恩返しだと思っています。ウィンウィンの精神で、必ず成功を掴みます」

お客様への思い、仲間たちへの思い、会社への思い。そして何より、愛する家族への思いがある限り、目標は結果となり、さらなる高みへも昇れると、松田はそう信じている。

「真田社長が巡回で常におっしゃっているのが、自分たちが頑張れば必ず目標に到達するし、そうすればいい人生が待っていると言うこと。給料も上がるし、賞与もアップする。昇格もできるし、株価も上昇する。実力主義でガラス張りの経営だから、働いている私たちにとって目標が立てやすいですし、目標達成によって手にできるものが明確なのです。本当に働きやすい会社だと思います」

松田のあくなき挑戦は続く。

頂点を目指せ！

［5章］

首都圏ブロック売上50億円、純利益5億円を達成させ、西日本エリア強化のリーダーブロックへと導く。

湯本典緒 Norio Yumoto

執行役員　首都圏ブロック　統轄店長兼横浜支店長

昭和55年2月25日生まれ。東北工業大学　工学部建築科卒業。
平成14年、東日本ハウス株式会社　福島支店入社。平成18年、福島支店営業課主任。平成25年、福島支店営業課次長。平成26年、福島支店長。平成27年、東北ブロック統轄店長。令和2年、40歳のタイミングで首都圏ブロック統轄店長、令和3年11月（第54期）より、執行役員に就任。金バッジ獲得回数23回。
人生理念・モットー「悔いのない人生（今を生きる）」
好きな言葉「今の自分は、今までの努力。これからの自分は、これからの努力」

他社では夢物語と言われた。でもこの会社は違った

平成14年、日本ハウスホールディングスは復活を遂げるために、成田会長が3代目社長に就任した。その年、湯本は新卒で入社する。いわば成田チルドレンの1期生と言うわけだ。

当時の日本は景気が停滞し、いわゆる就職氷河期だった。日本ハウスＨＤはさらに輪をかけて業績が厳しく、この年に採用した人数はわずか26名。それでも将来の復活を目指すためには、可能な限り人材に投資をする。その方針の中、湯本は家づくりに対する熱い想いを抱いて、日本ハウスＨＤの門をくぐったのだった。

湯本はこれまで、「頂点を目指せ！」「不屈の経営」の2つの書籍に登場している。そこには彼の入社経緯や活躍ぶりについて詳しく書かれているので、ぜひ目を通して欲しい。今回は主に、湯本が若手社員の頃に学んだこと、そして首都圏ブロック統轄店長として立てている戦略について記したいと思う。特に金バッジおよび全国1位連続獲得な

どトップ営業マンとして活躍した彼の学び、気づきは、いまこの書を読む若手社員にとって、おおいに参考になることだろう。

入社してわずか3カ月後、7月には初受注を果たした湯本。そして10月には2棟の成約を果たした。「やればできるじゃん」。そう思った。

と言うのも、前回書籍「頂点を目指せ」にも書かれていることだが、湯本はもともと設計志望。大学で学んだ知識を生かし、人の夢を形にする仕事がしたいと考えていた。お客様と会話を重ね、そこに住む人が本当に喜ぶ家をつくりたい。ところが、さまざまなハウスメーカーの面接で、そんな思いをぶつけても、『気持ちは分かるけれど、まあ、それは夢物語ですね』と言われるばかりだった。俺の想いは理想論にしか過ぎないのか？設計事務所への就職も考えた。でも、湯本はよりお客様と近いところでの家づくりを希望していた。そんな時に出会ったのが日本ハウスＨＤだ。当時の面接官だった大谷次長（現　内部監査室　室長）から、こう言われたのだ。『君はすばらしい考え方をしている。うちは君の夢がかなえられる会社だ』と。『それであればきっと営業のほうが、お客様との最初の出会いから間取りを一緒に考えたり、現場に行って建築状況を見たり、引渡し後のアフターフォローも全部担当するので、希望にぴったりだ』。

「〝夢を形にする仕事〟として営業でやってみよう」

湯本はそう決意した。大変だろうけれど、そのほうがやりがいがあると感じてきた。そして湯本は、営業として入社したのだ。

上手く説明すれば売れる、という大きな勘違い

「やれるじゃん」

そう思った時から、5カ月間、まったく契約できなかった。しかし4月を迎える頃、何とか2棟を成約。そして次の半年間で6棟の契約。見事、金バッジを獲得した。

「やっぱ俺、やれるじゃん」

自信は確信に変わりつつあった。しかし、世の中、そう甘くはない。そんなふうに思ってから、また契約が決まらなくなってしまったのだ。

契約が決まると、営業はお客様と満足度の高い家づくりのために伴走をする。営業は契約を決めて終わりというハウスメーカーがある中、契約から打ち合わせ、引き渡し、アフターフォローまで、営業がすべて携わるのが日本ハウスＨＤのやり方だ。入社前、面接官にそう言われていたし、湯本自身もそこに惹かれて入社した。しかし、いざ仕事として向き合ってみると、契約を決めれば決めるほど目まぐるしい忙しさに見舞われたのだった。

それは湯本にとってやりがいでもあった。しかし、一方で営業活動にも力を注がねばならない。知らず知らずのうちに、湯本は効率を求めるようになっていた。そしてある程度、成功体験を積んだことで、うまく契約に至った時のパターンをなぞったような営業になってしまっていた。

「上手に話をすれば購入してくださる方がいるのだなと、思ってしまったのです。入社当初は知識も経験もなかったので、自分の家に対する情熱とか、自分自身のことを知っていただこうと必死でやっていましたが、知識がつくにつけ、それを説明しようとなっていたのです」

「お客様はモノが欲しいのではなく、家づくりに納得したいのです。納得するには誰とつくるかが重要になってきます。誰に一番相談したいか、誰が一番親身になってくれるか。そこが大切なのに、伴走者である自分のスタンスがずれると、お客様は信頼を寄せてくれないのです」

そこに気づいた湯本は、これまで自分が手掛けた家の図面や写真を独自にスクラップし、会社の商品を説明するのではなく、お客様とのエピソードを話すことにした。知識が浅い若手社員だからこそ、実際に体験した話のほうが、確実にお客様の心を捉えることとなった。

契約が決まっては契約が決まらなくなる時期を二度ほど繰り返したが、エピソードベースの営業に変えてから好転。以来、金バッジ獲得は一度も外すことなく、10年連続20回（累計23回）獲得した。さらに全国1位は10回、年間1位も5回・4年連続で手にしたのだった。そしていま、首都圏ブロック統轄店長として、売上・シェア拡大のミッションを担っているのである。

商圏の大きさに戸惑いながら、勝負手を見つける

湯本は首都圏ブロック統轄店長を任ぜられ、初めて福島の地を離れた。福島市の人口は約30万人。それまでの湯本は、周辺地域を合わせると50万人ほどの商圏で戦ってきた。福島もそれなりに大きな都市である。しかし、横浜に赴任してみて分かったのは、それとはまったく比べ物にならないほどの大きな市場であると言うことだった。

電車はいくつもの路線が入り乱れるように走り、道路もまさに縦横無尽と言っても過言ではないほどに、東西南北あちらこちらに伸びている。ひと言で東京とか神奈川と言っても、地域によって住む人の世帯年収も違えば、好みも違う。さらには建築条例も異なる。最初の1年は、まさに手探り。一生懸命に勉強をして、いまようやくエリアの相場観や特性が分かるようになったと苦笑いする。

「首都圏ブロックを任された時、その商圏の広さから売上50億円はできるだろうと感じました。その考えはいまも変わりませんが、当時は具体的な戦略が見えていませんでした。1年経ってようやく打ち手が見えてきたので、これからアクセルを踏み込んでい

きます。横浜支店の新築だけで最低でも売上10億円、リフォームと横須賀も入れれば15億円まで伸ばせる組織づくりを進めていく計画です」

売上数字はもちろん重要だ。しかし、もっと大事なのは利益である。そこについては湯本もぬかりなく理解している。首都圏ブロックで最低でも5億円の純利益を確保することを念頭に、組織や仕組みの再構築、さらには新たな販売方法など、積極的にアイデアを形にするつもりだ。

湯本は勝つために、まず戦力分析を行った。現在、首都圏ブロックにおける役職者は全体の約10％。営業の多くは若手社員で構成されている。若手社員は経験がない分、どうしてもクロージングまで時間がかかる。もちろん先輩の同行やフォローはするものの、ベテラン社員に比べると受注効率は下がりがちだ。勢い、生産性は低くなり、経費だけがかかって利益率も落ちてしまう。

次に、首都圏エリアでの日本ハウスＨＤのブランド力を検証してみた。湯本はずっと東北にいたこともあり、お客様の多くが日本ハウスＨＤ（東日本ハウス）の名前を知っていた。ところがこちらではかなり認知度が低い。お客様だけでなく、不動産会社や取引先と会話していても、東証1部（プライム）上場のハウスメーカーだと言う認知は、決して高くないのだ。

こういった問題点をクリアしなければ売上50億円、純利益5億円の達成は難しい。そこで湯本は考えた。若手営業マンの知識や経験不足を補い、認知度の低さをクリアし、より多くのお客様が興味を示してくれる施策はないものか、と。そして思案した末に行き着いた答えが、分譲系商品の展開である。

「こちらである程度、形にした分譲系の商品や、買い物帰りでも気軽に立ち寄れる街角モデルハウスを展開してはどうだろうかと。そうすることによって若手社員でも商談がしやすくなりますし、お客様も理解しやすい。私はこれまで数多くのお客様と接し、日本ハウスＨＤの現役の中では、一番売ってきたという自負があります。その知見を活かして、地域特性やそこに暮らす人のニーズに合った企画を立て、街角モデルハウスでアピールしていけば勝てると踏んだのです」

もちろん、型にはまった〝売りやすい商品〟だけを扱っていては、いつまでも若手社員のスキルは向上しない。そこで湯本は、分譲系商品は全体売上の20～25％に収まるようラインを引いている。ある一定のエリア内で街角モデルハウスをいくつか展開し、のぼりやチラシなどを集中投下することで認知度を高める。湯本が推し進めるこの戦略が、今後どのような成果が出るのか目が離せない。

人間力向上を目指せ！　基本は誠心誠意である

湯本はご紹介したように、常にトップを走ってきた、いわばエリート営業マンだ。しかし、前述したように湯本が特別饒舌だとか、何か特殊能力を持っているとか、そう言うわけではない。失敗も数多く経験してきた。お客様から『もう、お前の顔なんてみたくもない！　帰れ！』と怒鳴られたこともある。それくらい大きなミスをやらかしたこともあるのだ。

そんな彼が、なぜトップ営業マンであり続けられたのか。それは何事にも執着心を持って継続したこと。そして失敗を糧にしながら、人間力を高めていったからだ。

「自分で人間力が高いなんて恥ずかしくて言えませんが、一つだけ自信があるのは、何事にも誠意をもって対応したことです。『帰れ！』と怒鳴られたお客様は、建築条例の解釈の相違で、最後の最後で計画を変更しなければならなくなった。そこでお叱りを受けたのです。とにかく誠心誠意謝りました。でも、もう顔も見たくないと、追い出されました」

翌日、お客様から電話があり、『話があるからすぐに来い』と言われた湯本。急いでご自宅に伺うと、こう言われたそうだ。

『あれから、これまでの打ち合わせでの君の言葉や行動を振り返ってみた。俺はそれをすべて信じてこれまでやってきた。その中での間違いはたった一つだった。だから、その一つを俺は許そうと思う。これからも君を信じてお願いすることにするから、もう二度と嘘はつかないと約束できるか？』と。

いまでは、年末には必ず大掃除のお手伝いにあがり、そのたびに食事をふるまっていただくほどの間柄だ。湯本が体調を壊して入院した際、代わりの担当を付けていたが、『湯本君に直接言わないと心配だから』と、お見舞いがてら用件を伝えにきてくれるほど深い関係性が築けている。

「入社したての頃は、分からないことだらけ。でも、そこで絶対にやってはいけないのは、分かったふりをすること。ごまかして済まそうとしたら、それは必ず相手も分かる。信頼をなくすどころか、自分もまったく成長しません。分からないことがあれば、素直に『すみません。いま分からないので、明日まで待ってください』と言って帰ってくればいい。そうやって一つずつ調べるうちに知識は向上するし、お客様に真摯に向き合うことで人間力は向上していくのです」

大きな壁は、大きな成果を掴むチャンスである

湯本は54期より、執行役員になった。平成27年に東日本ハウスから日本ハウスホールディングスに社名変更し、全国展開への強化を鮮明に打ち出した同社であるが、その時、全国1位として戦っていた自分が、その1年後に店長となり、その半年後に東北ブロック統轄店長となり、現在は首都圏ブロックを任されるようになった。「これも何かの縁だな」と湯本は感じている。

「日本ハウスHDになって、さらなる飛躍を目指そうという時に首都圏ブロックを任されるようになりました。首都圏ブロックは第二統轄事業部に属し、東海・関西ブロック、中四国・九州ブロックとともに西日本エリアを主戦場にします。つまり私は、社名変更の意義が問われる立場に置かれていると言うことです。これは間違いなく大きな挑戦ですし、湯本という人間の見せどころ。東海・関西、中四国・九州と協力しながら西日本エリアでの知名度をスピーディに向上させ、日本ハウスHDをいまより一段も二段も上のステージに引き上げていきたいです。その実績を示すことで、なるべく早く上席執行役員のポストに座りたいと考えています」

すべてはポジティブに捉え、考え、行動しよう

いまから約20年前、湯本も右も左も分からない新入社員の一人だった。お客様と一緒になって家づくりがしたい！という動機があった分だけ、周囲の新人たちよりは少しモチベーションは高かったかも知れない。しかし、これまで書き記した通り、彼も幾度も

壁にぶち当たり、失敗もし、苦しみもした。執行役員兼統轄店長となったいま、当時の自分に言ってあげるとするならば、どのようなアドバイスを送ってあげるだろうか。

「成田会長もよく言われることですが、伝えたいのは〝苦楽〟という言葉です。苦しみの無いところに楽しさはないよ、と。でも、実際に仕事をしていると苦しさだけが先に来るので、後の楽しさまでは想像できない。特に若い頃はそうなりがちです。それでモチベーションが下がって、それがまた悪い方向に行ってと悪循環に陥るのです」

「でも、私の経験から言って、モチベーションというものは自分次第でコントロールできるものです。壁にぶつかるとネガティブなことを考えてしまいますが、そこでもあえてポジティブに捉える。つまり〝プラス思考〟。自分が口にする言葉に気をつけることで、『この壁ってこうやって乗り越えたら面白いのではないか?』とか、『この壁には何か意味がある。すごく勉強になる』とか考えられるようになる。無理やりでもいい。そうやって何でも〝プラス思考〟に考える癖を身につけることが大事だとアドバイスを送りたいです」

湯本は言う、いまでも思わずネガティブな思考をしていると、家族から『なんで今日はそんなにネガティブなオーラを発しているの？』と問われるのだと。そのたびに反省する。自分の心の中や言葉がネガティブだと、周囲もネガティブになってしまうものだ。サラリーマンは飲み屋に行って愚痴を言い合うのもストレス発散法の一つだが、愚痴からは何も前向きなものは生まれないのも事実だ。

「だから若いうちは根拠がなくてもいいので、常に自分はできる！と言い聞かせるべきです。リーダーになれば、このメンバーならできる！と。実際にできるのですから。できないのはどこかで逃げているから。素直に、前向きに、明るく、元気に仕事に立ち向かえば、必ず誰でも結果を出すことができるのです」

自分自身は組織のうえに立つ者として、リスクも想定しながら動かなければならない。しかし若い社員はあまり結果を恐れず、どんどんと思い切ってトライして欲しいと願う。何かあれば、上司が何とかしてくれるのだからと。

「それにいま、当社はすごく大きなチャンスを迎えているのです。評価制度もより明確になり、組織や制度の改革にも着手しています。みんながいまの頑張りにもう少しずつプラスαしたら、成長は急加速するはずです」

首都圏ブロックから日本ハウスＨＤを変えていく。その意気込みは、きっと周囲を巻き込み、大きな旋風へと昇華することだろう。

5章　首都圏ブロック売上50億円、純利益5億円を達成させ、西日本エリア強化のリーダーブロックへと導く。

頂点を目指せ！

［6章］

激戦区の箱根で、必ず名実ともにNo.1のホテルにしてみせる。

餅原浩二 Kouji Mochihara

ホテル四季の館　箱根芦ノ湖　支配人

昭和50年3月28日生まれ。作新学院高等部卒業。
平成5年4月、ホテル東日本　宇都宮入社。宴会課、婚礼営業、法人営業（企画課）、宿泊課、レストラン課の各責任者、副総支配人として宇都宮に25年勤務。平成29年4月、「那須みやびの里　ホテル森の風　那須・ホテル四季の館那須」開業準備のため、開業準備室を立ち上げ、室長として約1年半、準備を行う。平成30年10月、ホテル四季の館　那須　支配人就任。令和3年5月、ホテル四季の館　箱根芦ノ湖、開業のため、開業準備室室長就任、現在に至る。
人生理念・モットー「当たって砕けろ」
好きな言葉「一球入魂」「全力投球」

成功が絶対条件。責任者への抜擢に戸惑った

平成30年、日本ハウスホールディングスグループは、ハウス事業が50周年を迎えるにあたり、那須に新たな2つのホテルを開業することとなった。新規のホテル開業は23年ぶりのこと。当然、失敗やミスは許されない、成功させることが大前提の大プロジェクトであった。

その開業準備室の室長として抜擢されたのが餅原だった。入社以来、「ホテル東日本宇都宮」にて25年間勤務し、宴会課から婚礼営業、レストラン課など、すべての部門を経験。副総支配人として実績を残し続けてきた彼に、白羽の矢が立ったのだ。

開業準備なんて経験したことがない。そんな自分が、絶対に失敗もミスも許されない新規ホテル開業という重責を無事に全うできるのか。不安とプレッシャーが餅原の全身を襲い、引き受けて大丈夫なのか正直、迷った。

アンテナを高く、想像する。すると答えが見えてくる

餅原が高校を卒業するタイミングで、「ホテル東日本　宇都宮」がオープンした。『宇都宮で一番大きなホテルだぞ、どうだ？』。そう恩師に言われ、応募した。学生時代から居酒屋やガソリンスタンド、コンビニ、ホームセンターと、接客を伴うアルバイトを経験していた餅原。居酒屋では、高校生でありながら責任者のような立場を任されていたこともあり、ホテルでの仕事は魅力的に思えた。面接では大好きな野球の話で大盛り上がりし、上司になる方々に対して親近感が芽生える。それが入社を決めた理由だと、懐かしそうに振り返る。

ホテルの仕事は性に合っていた。元来、飽きっぽい性格。しかし、餅原曰く、それがよかったのかも知れないと語るのだった。

「ホテルの仕事は、毎日、同じことの繰り返しのように思われるかも知れませんが、実際には正反対です。訪れるお客様は一人ひとり違っていて、求めることも、喜ばれる

ポイントも異なるのです。つまり、マニュアル通りのサービスをお届けしても、喜んでいただける方もいれば、そうでない方もおられるわけです」

その難しさにはまった。どれが正解で、どれが不正解なのかが分からない。分からないが自分なりにアンテナを高く張り巡らし、喜ばれそうなことを想像しながら接客に当たった。すると時折、『ありがとう』という言葉になって返ってきた。

「そのお客様の笑顔がたまならくうれしくて。自分が考えてお届けしたサービスに喜んでいただけるたびに達成感がありました。難問が一つ解けたというような感覚ですね。でも、同じことを別のお客様にしても反応がない。おかしいな、よし次はこうしてみよう、ああしてみようと考えながらやっているうちに、毎日がとても充実してきたのです。まさに、これこそがホテル業の醍醐味なのだと思います」

仕事に対するこういった発想や行動は、いまも基本として変わりはないと餅原は言う。彼が経験の浅い若手社員に伝えたいのは、特別、難しい技術は必要ないと言うことだ。まずはお客様をしっかりと観察すること。どんな表情をされているのか、どんなしぐさをされているのか…。それを見ているうちに、先が読めるようになるとアドバイスを送る。

「私の趣味は人間観察なのですが、若い人にもぜひ、その癖を身につけて欲しいです。するとお客様からの反応に手応えが得られますし、仕事の面白さにも気づけることでしょう」

チャンスは掴むためにあるもの

ここで話を戻そう。餅原は、新規ホテル開業準備室の室長への推薦に対し、迷いに迷った。ノウハウもない、スキルもまだまだな自分に、果たして大役が務まるのか。辞退しよう。そう思った。しかし、ここでふと自分の人生理念が心に浮かび上がってきた。

当たって砕けろ！

そうだ、俺はいつもその精神でやってきたじゃないか。一球入魂、全力投球。よく考えてみろ。人生でホテル開業の責任者に携われる経験なんて、このチャンスを逃したらもう二度と手にできないかも知れない。まだまだ未熟な俺に、この大事な仕事を任せようと成田会長は期待してくれているではないか。

餅原は覚悟を決めた。25年間、勤務した宇都宮のシティホテルを離れ、営業スタイルも業務内容も異なるリゾートホテルへのチャレンジ。経験値ゼロからのスタートだったが、餅原は周囲のスタッフとがっちり協力し、一つひとつ、高級リゾートホテルとして必要なもの、他ホテルとの差別化を構築していった。そしてめでたく平成30年秋にオープン。以来、多くの宿泊客が訪れ、優れた宿泊施設の評価ランキングも獲得。見事、成功に導いたのだった。

経験の中から何を学ぶか。それが成長速度を左右する

餅原のホテルマンとしての28年間は、決して順風満帆だったわけではない。当然のごとく、さまざまな失敗を経てきた。餅原は言う。失敗を恐れる必要はないと。失敗から学ぶことはたくさんある。だからどんどん挑戦すればいい。たとえトラブルになったと

しても、上司が責任を取るのだから、思い切ってやって欲しいと願う。

「婚礼営業の時代には、契約前にサービスについていろいろとご指摘を受け、他社の商品内容や金額比較などから、あまりいい関係を築けていないお客様がいました。何度もお客様のご自宅に訪問し、お話をさせていただき、最終的には信頼を勝ち取って契約をいただいたのですが、その時に大事にしたのが社員心得50項目の〝5分前精神〟です。アポイントの5分前には必ずお伺いしていたところ、その姿勢に気づいていただくことができ、感心され、信頼を寄せていただけたのです。この5分前精神は社会人として当たり前のことですが、当たり前を徹底することが大事なのだと気づかされました」

また餅原は、宴会場の責任者をしていた時、休暇中に車を運転し、雪道で単独事故を起こしてしまったことがある。顔は傷だらけになり、それから1カ月もの間、お客様の前に立てなくなって裏方に回っていたそうだ。

「自分の不注意により、多くの上司や先輩、仲間たちに余計な仕事の負担をかけてしまいました。それがどれだけ迷惑なことなのかと、本当に反省しました。責任者としての自覚が欠けていたことを痛感し、それ以来、休みの日の過ごし方も意識して、体調管理や車の運転に注意するよう心掛けています。ホテルの仕事は一人でできるものではありません。仲間の支えがあってこそ成立します。だからこそ、自分の責任もちゃんと全うしなければならない。そのことを強く学ぶことができました」

意見に耳を傾け、判断し、責任を負う

現在、餅原は「ホテル四季の館　那須」での実績を買われ、「ホテル四季の館　箱根芦ノ湖」開業のため、再び開業準備室の室長として忙しい日々を送る。

箱根は日本有数の温泉地であり、観光地である。有名ホテルがずらりと軒を連ね、しのぎを削り合っている。そんな激戦地に乗り込むのである。さらに「ホテル四季の館　箱根芦ノ湖」は、宿泊代1人5万円以上の高級ホテルだ。サービスに目の肥えたお客様が相手となるだけに、那須以上の入念な前準備が必要となる。

そんな中、餅原が大切にしていることは、まず組織づくり・スタッフ教育である。経営は組織づくりが一番の要。開業に向かって新しい仲間を迎え入れる中で、みんなが同

じ目標を持ち、突き進んでいける組織をつくることが、事業成功の鍵となる。みんなが一丸となり、一枚岩になれる組織。そのためには、「共通認識を持つ」「情報共有の徹底」「共存を図る」の3つが徹底されていなければならないと餅原は言う。

「1泊5万円以上もの高級ホテルですから、開業にあたり、まず12名の選抜されたスタッフで組織づくりを始めています。そのうち約8割は、各事業所を代表する幹部クラスを登用しています。彼ら彼女たちはとても優秀ですが、その分、プライドも持っています。個性も豊かですから、それらをうまくまとめ、融合させることが私の役目だと感じています。スタッフの意見にちゃんと耳を傾け、最終的には私の判断や考えを道筋として示す。そうやって何事にも納得感を持って仕事に向かってもらえるように心がけています」

野球に夢中になっていた頃、副キャプテンを任された。副キャプテンはキャプテンとメンバーの間に立ち、さまざまな調整を図る必要がある。チームワークの醸成、コミュニケーションを取ることでのモチベーション維持・アップ…。間に入ってやってきたことが、いまも役立っていると笑う餅原。そしてあとは、なにくそ！のど根性。これには絶対的な自信がある。

「先にも述べましたが、私は宴会課から婚礼営業、法人営業、宿泊課、レストラン課まで、ホテル事業におけるすべての部門を経験してきました。また副総支配人、支配人、さらには開業準備室の業務にも携わってきています。だから全体が俯瞰的に見られるのです。上質なサービスは、すべての部門が流れるようにつながっていてこそ生まれるもの。いままでの経験やスキルを生かし、組織づくり、教育・指導を徹底していきたいと考えています」

すべてが経験でき、活躍の場が与えられる喜び

日本ハウス・ホテル&リゾートで働くことのメリットは、希望次第ですべての部門を経験することができること。そして頑張りを正当に評価してくれて、培ったスキルを存分に発揮することができる場を与えてくれることだ。いまはまだ経験が浅く、持ち場をこなすだけで精いっぱいの若手社員であっても、しっかりと夢と目標を描いていれば、

必ず実現できるのだ。

たとえば餅原にもこう言うことがあった。東日本大震災以降、当時勤めていた「ホテル東日本　宇都宮」は、数年間にわたり宿泊売上が低迷していた。年々、右肩下がりが続く。そして２０１５年（平成27年）に、餅原は宿泊部に責任者として異動。売上回復を厳命されたのだった。

それまで前々任者、前任者がさまざまな施策を打っていたものの、好転しなかった。

「なぜ回復しないのか」

餅原はこれまでを徹底的に振り返り、分析した。そこで一つの答えにたどり着く。対策を講じてみては、すぐに結果が出ないとまた新しい対策を打ち出す。以前はこの繰り返しであった。

たとえば、宿泊料金を予約の入込状況にあわせて変動させる。しかし、結果が出ないとすぐに価格を変動させる。これではお客様から見れば、『いったいいくらなのか？もう少し待てばもっと安くなるのか？』『宿泊費なんてあってないようなものだな』と言った疑問や不信感が生まれてしまう。そこで餅原は、みんなで考え、施策を出し合い、最終的には価格より価値をしっかりと伝えることを優先することにした。朝食料理へのこだわりやディナー付プランの充実、アーリーチェックアウトプランの販売を実施したのである。大事にしたのは、〝お客様の声やニーズに添うプランを提供すること〟だ。

　そしてじっくりと腰を据え、様子を見ることにした。事あるごとに改善点はないかと全員で話し合い、基本施策は変えずに、改善すべき点は微修正した。すると徐々に業績は回復。1年後、見事、対前年を上回る売上をあげたのであった。


　また、「ホテル四季の館　那須」時代には、支配人としてお客様のお出迎え、お見送りを真っ先に行った。ドアマンがいて、その先に支配人がいるのではなく、車が到着したら餅原自身がお出迎えする。はじめてのお客様には名刺を渡してご挨拶し、リピーターのお客様には、車種からお名前を確認し、『○○様、お待ちしておりました』とお迎えした。

　さらにディナータイムになるとレストランの入り口に立ち、率先してご挨拶、案内をした。常にお客様に感謝の気持ちを伝えることで、特別感を演出した餅原。結果、リピート率が確実に上がってきた。

「私が言いたいのは、その時々のポジションでできる最高のサービスは何かを考えて欲しいということです。それが仕事のやりがいや面白さを生み出し、自分の成長にもつながります。成長したら、またワンステップ上の活躍の場を与えてくれますから、どんどん面白さが増していくのです。私も一朝一夕で支配人になれたわけではない。一つひとつ経験を重ね、成長したからこそいまがあるのです。若い人たちには、ぜひ継続して頑張って欲しいです。そうすればいい未来が必ず開けますから」

忙しさを言い訳に、大切なことが盲目的になっていた

日本ハウス・ホテル&リゾートが提供する商品は、そのほとんどが〝形に残るもの〟ではなく、〝心に残るもの〟だ。限られた時間と空間、料理、おもてなしだけで〝価値〟を感じていただき、〝心に残る〟時間にしなければ、価格=価値にはなり得ない。

「お客様は、ホテルへの期待と信頼のもと、いわば〝先行投資〟していただいている

わけです。私たちはそのことに感謝しなければなりません。私自身、その期待にお応えしたい、期待以上の価値や感動をお届けしたいと思い、日々努力しています。ホテルマンは絶対に、お客様の期待を裏切るような仕事はしてはいけないのです」

コロナ禍になり、初めてお客様がいないホテルを体験した。仕事がしたくてもできないと言う、あり得ない状況に戸惑った。お客様がたくさん来られた時には、「今日も忙しいな」と思わずため息をつくこともあった。でもいま、それは何と罰当たりなことだったのだろうと思う。お客様がいるというありがたみを、つくづく感じる今日この頃だ。だからこそ、「お客様の期待を裏切るような仕事はしてはいけない」ということを肝に銘じて、〝今日できること〟に力を注ぐ。余った時間は研修に充ててきたが、みんなで仕事を振り返り、みんなで共通目標を立てることが、これほどまでに大切だったのかと再認識した。餅原は思う。コロナ禍は、大きなダメージではあったが、コロナ禍によって気づけた大切なことがあったのだと。そして我々は、ワンステージ上に昇ることができたのだと。

箱根エリアNo.1を目指して

餅原のいまの目標は、有名ホテル、旅館が多い箱根と言う激戦区で、旅行サイトの口コミ総合評価5を獲得すること。ホテルランキング1位を獲得し、名実ともに〝箱根エリアNo．1〟の称号を得ることだ。そして最終目標として、同社の会員制リゾートクラブ「みやび倶楽部」の会員様やホテルグループのリピーター顧客で、一年間、予約が埋まるホテル運営を掲げる。

そのためには、餅原一人の頑張りだけではどうしようもない。働くスタッフみんなが協力し、切磋琢磨しながら成長することによって、目標に手が届く。それは餅原自身が一番分かっていることである。

「リーダーのポジションになると、自分一人でやった気になることがあるものですが、部下のサポートや引き立てがあってこそ、リーダーとして輝くことができるのです。リーダーはみこしに担がれているだけ。地盤や土台がしっかり支えなければ、みこしは崩れてしまいます。周囲のスタッフの役割やサポート、チームワークがなければ組織は成り立たないのです」

一人ひとりの社員が、一つひとつの業務を確実に行うことで、強固な土台ができあがる。安定した地盤が形成されるのだ。社会とは、〝人の集まり〟である。何事も一人ではできないものだ。周囲の人に支えられていることを当たり前と思わず、素直に「いつもありがとう」と言える人間であり続けたい。餅原はそう思っている。

頂点を目指せ！

［7章］

最大のピンチこそ、
最大のチャンス。
ホテル、そして個人の進化は、
まさに、
いま何をするかである。

武藤清和 Kiyokazu Muto

株式会社日本ハウス・ホテル&リゾート　代表取締役社長

昭和36年3月9日生まれ。東京都立蔵前工業高校建築科卒業。
昭和54年、東日本ハウス　東京本部入社。工事課、営業課を経て、平成6年、町田支店長。平成14年、横浜支店長。平成16年、四日市支店長。平成17年、執行役員北陸ブロック統轄店長兼金沢支店長。平成18年、東日本ハウス事業本部長。平成22年、取締役東海・関西ブロック統轄兼名古屋支店長などを歴任。平成28年、取締役不動産統轄本部長兼Urbanアセットマネジメント事業本部長。平成30年、取締役不動産統轄本部長兼マンション事業本部長。令和2年2月より、現職。
人生理念・モットー「世に生を得るは事を成すに有り」
好きな言葉「人生二度なし」

リストラはしない。これからが勝負だ

ホテル・観光業界は、いま100年に一度と言われる危機的状況の只中にいる。新型コロナウイルス感染症拡大による緊急事態宣言が繰り返され、ホテルは休業に追い込まれた。日本ハウス・ホテル&リゾートが展開する各ホテルも、宣言が解除されるたびに再開はするものの稼働率はわずかで、ハウスから運転資金を借入。2020年は休業補償の支給を受けて、何とかしのいできたのが現状だ。

武藤は、その苦闘の2年間を振り返る。コロナの影響が広がったハウス52期（ホテル41期）は8億円の赤字。ハウス53期（ホテル42期）も9億円の赤字。他のホテルなら倒産してもおかしくない。日本ハウスホールディングスグループ力があればこそ、存続できているありがたさを感じながら、この恩を絶対に返すと決意している。

「2年間で17億円もの赤字になると、普通ならホテルを売却して縮小、リストラでしょう。でも、成田会長の判断・方針は、絶対にリストラはしないと言うもの。2022年

２月には箱根・芦ノ湖に、12月には箱根・仙石原に新規ホテルが相次いでオープンします。現在の６施設から７施設となりますし、さらに２０２４年８月には、ホテル四季の館熱海が開業予定と、まさに勝負どころを迎えます」

武藤が掲げる目標は、３年後にはコロナ禍前の１４０％、売上62億円の達成。中期飛躍６ヶ年計画が完了する６年後には、同１８０％の80億円の達成だ。目標とは言ったが、これは必達事項だと自分自身にあえてプレッシャーをかける。

ようやくコロナ収束の道筋が見え始めた中で、ここからロケットスタートを切るために、武藤はどのような〝仕込み〟をしていたのか。その奮闘ぶりを振り返ってみたい。

すべてを見直し、初心に返りながら進化を図る

コロナ収束後、売上回復を加速させ、目標を達成するためには、休業状態となって余った時間を、どのように有効活用すればいいのだろうか。

きっとスタッフたちは仕事に対する緊張の糸が切れているだろう。もしかするとホテ

ルマンや調理師として活躍すると言う夢や目標を失っているかも知れない。ホテルが稼働し、お客様に喜んでもらえ、そしてリピートしてもらうためには、何よりも大事なのが働く人のモチベーションである。これまでもやってきたことではあるが、武藤はいま一度、初心に返ることを徹底しようと考えた。実施したのは、「ホテル塾」なる研修であった。

「私が社長になって、すぐにコロナ禍に見舞われましたから。さあ、サービスを向上させるぞ、売上を上げるぞ、スタッフの物心両面の幸福を追求するぞ、と意気込んでいたところに冷や水を浴びせられました。でも、そこで考えたのです。これは私も含め、自分を振り返るいい機会ではないか、と。ホテル塾では、20名で1グループとし、1泊2日の合宿形式にして、わが社の思想や企業理念、社員心得など、再度、徹底を図りました」と武藤。

そのうえで〝人生いかに生きるか〟を問いかけ、仕事への意欲向上や自己啓発を目的に、個人の3ヶ年目標・計画書を作成させた。結婚して家族がいる人は、家庭としての目標も明記。ホテルマン、調理師として夢を抱いていた初心に立ち戻り、もう一度、さらなる高い目標設定にし直して、自分自身のネジを巻き戻させたのである。目的は意識改革。

9班に分け、2カ月かけて全社員に実施した。

「私が思うのは、〝人生は必然〟なのです。誰にでも平等に3年後、5年後はやってくる。だから自分の夢、目標を持ちなさいと。こうなりたいという夢、目標を持って行動することで、必ずそこに到達できるのです。夢や目標を持った人と持っていない人では大きな差が付きます。研修後の感想文を見ても、『これまでこんな研修は無かった。すごく自分のためになった』という言葉が多いです。もう2回実施済みですが、翌期も3回目を行う予定です」

多能工化することで、意識・行動が変わった

武藤の打ち手は、これだけではない。ホテル事業として利益率を向上させるためには、生産性のアップが欠かせない。現在のオペレーションの中で無駄はないか、改善余地がないかと見直す中で、武藤が導き出した答えは、〝多能工化〟である。

これまでフロント、レストランサービス、客室清掃と言ったように、それぞれの分野

のスタッフが専門的にこなしていた。しかし、生産性を向上させるためには多能工化し、〝誰でも代わりにできる〟体制づくりが欠かせないと武藤は判断した。フロントだけでなく、調理でも和食の料理人がフレンチもイタリアンも中華もつくれれば効率がいい。それになりより、調理人としても力量もアップする。フロントも然りだ。

そこで全スタッフ横断で、社内の5S（整理・整頓・清掃・清潔・躾）や3密対策、館内整備など、さまざまな研修を実施。職域を超えたスキル取得の検定制度も設け、実施したのだ。

多能工検定の内容は次の通りだ。

あらゆるホテル業務を細分化。たとえば客室清掃、接客案内といった具合である。食事の対応も、朝食やディナーとそれぞれ分け、和食の朝食、フレンチの朝食など、必要スキルごとに検定を設けた。

また、調理師では、前述の和食、フレンチ、イタリアン、中華のほか、たとえばスッポンの捌き方など、あらゆる技能に対し、それぞれ4級～1級まで設定した。

月に1度、自ら申請した検定試験を受け、合格すればその仕事に携われるようになる。これにより、個人スキルが向上することはもちろん、スキルの〝見える化〟が図られ、評価基準もより明確になった。多能工化することで生産性もアップしたのだ。さらに最大の効果だと武藤が喜ぶのが、

「多能工化することで、みんなが〝気づく〟ようになったのです。たとえば清掃を担当する人は、いままでならフロントが何をやっているか分からなかったし、ある意味、無関心だった。でもいまは、フロントが忙しいな、手が足りていないな、ということに気づけるし、手伝うこともできる。フロントだって、あ、ここは清掃が足りていないな、よし自分でやろう、ということになる。料理人も然りです。これはものすごい成長ですし、当ホテルの強み、武器になりました」

この他にもリーダー候補合宿を実施。課長、副料理長クラスの底上げを図り、次の支配人、料理長の育成も怠らない。上期、下期でそれぞれ1回ずつ、1泊2日で行った結果、ハウス53期（ホテル42期）の9月には2名が昇格、さらにリーダー層の若返りを目指し、

もう1名が新たに支配人となった。

「料理コンテストも以前から定期的に行っていますが、緊急事態宣言下においてはテイクアウト商品の提案・コンテストを実施するなど、味はもちろん、常に経営と言うものの意識を持ってもらうようにしています。料理人は美味しい料理をつくっていればそれでいいという考え方はもう古い。全社員が経営者の視点で物事を捉え、行動できるように、これからも教育を充実させていきます」

ホテルも住宅も一期一会

武藤は長年、ハウス事業部で辣腕を揮ってきた。いま任されるホテル分野は、ほぼ初めての経験だ。一見すればまったく違う業界であるが、武藤に言わせると根本は同じだそうだ。お客様に喜んでいただくためにすべきことは、まったく変わらないと言い切る。

「ホテルに来て約2年。まだまだ理解し切れていない部分もあるかも知れません。でも強く感じているのは、住宅もホテルも〝一期一会〟でご縁を築くことができると言う

[illegible]の思いは、ハウスの
武藤はハウス事業部時代、住宅展示場に来場されたお客様に、どの営業マンより自分が対応したら幸せにできる、と言う思いで対応してきた。ホテルの社員たちにも、そんな思いで接客に当たって欲しいと強く願う。記念日で来られたのか、観光を楽しみたいと訪れられたのか。それを想って接客するのとしないのとでは大きな差が出る。だからこそ、幸せを感じていただく、喜びを感じていただくことが我が喜びとしてやっていける、成長できる環境をつくることが、自分自身の使命だと考えている。

また、こうも語る。お客様の幸せづくりは、一つの形があるわけではないと。宿泊代が1万円のホテルもあれば、3万円のホテルもある。2022年にオープンする箱根のホテルは、1泊5万円以上だ。当然、お客様の層も違えば、求められるものも異なる。箱根で言えば中・高級志向のお客様に、いい泉質の温泉と贅沢な料理、もちろんその前提には上質なおもてなしが必要になってくる。もちろん、低価格ならおもてなしの質を落としていいと言うことではない。武藤が言いたいのは、お客様が本当に求めている価

値やサービスはどこにあるのかを考えなさいと言っているのだ。

「本物を知る成田会長が、料理内容からサービスの仕方までアドバイスしてくれます。会長のような優れた五感を養うために、料理人や支配人を星付きレストランに連れていってくれます。まあ、私ではなく、成田会長が連れて行ってくれるのですが（笑）。そうやって本物を知ることで、お客様の求めていることが分かるようになる。若いお客様は、うやうやしくおもてなしされるよりも、カジュアルに接して欲しい場合もあります。その見極める目を、ぜひみんなに身につけて欲しいと思っています」

簡単に辞めたら、諦めの人生に陥るぞ

いまは社長として陣頭指揮を執る武藤だが、当然、新人時代もあったわけだ。その時、いまの自分の姿は想像すらできなかっただろうが、武藤には強い思いがあったと言う。

それは、

夢・目標を持て。素直な心が大切。

入社1年目で3回辞めようと思ったと武藤は笑う。先輩や支店長から『いま辞めてしまえばどこに行っても一緒だ。もう少し辛抱しろ』と言われ、あと3ヵ月、あと6か月と言うように続けて、現在に至っている。素直な心は大切だ。

そして、新卒入社の新人たちには、「石の上にも三年」の辛抱は、いまも昔も変わらない大事な教訓であることを教えている。

「私が間違いなく言ってあげられるのは、簡単に辞めたら、辞め癖がつくよ、と言うことです。一つの目標・夢を追いかけるためにアプローチ方法を変えるのはいいけれど、目標も夢も持たず、のんべんだらりと生きていて、辛いから辞めるを繰り返していては、何も手にすることはできません。〝人生二度なし〟なのです。若い人には無駄な人生を送って欲しくない。だから諦めるな、前を向けとアドバイスするのです」

素直であれ。人の言うことに耳を傾けろ。人生の先輩はことあるごとにそう話す。だけど、そのアドバイスが心に響かない時もある。だからこそ武藤は言うのだ。読書をしろと。

「とにかくたくさん本を読んで欲しい。すると必ずその中から感銘を受ける本に出会いますし、得心する言葉にも出会えます。私は若い頃、歴史ものをよく読んでいました。物語の中には、戦略や戦術、人心掌握術など、学ぶことはいっぱいあるのです。時代は変われど、人間学は同じ。稲盛和夫さんの著書にも感銘を受け、社会人人生の中でいくつも役立てることができました。しょせん、自分の経験から得る学びは知れています。先輩や上司のアドバイスは重要ですが、それにも限界があります。だけど読書には限界がない。読めば読むほど、新しい考え方、知識に出会えるのです。読まないなんてもったいない。人生、本当に損しますよ」

武藤は良書に出会えるようにと推薦図書をまとめ、ことあるごとに示している。読んだ社員には感想文を書かせる。何に気づくことができたのか。それはきちんと腹に落ちたのか。とはいえ良書も万人には響かない。だから読む癖をつけることが大切なのだと武藤は説く。

最先端で働く社員こそ、逆ピラミッドの頂点である

企業は人なり。企業が人を育て、育った人が企業を育てる。日本ハウスＨＤは家を建てた責任を背負う企業である。東証１部（プライム）上場企業である。ホテルも、お客様に素敵な体験をお届けし、それはかけがえのない想い出として胸に刻まれ続ける。よって我々は、後世にわたって存続し続けなければならない使命を有しているのだ。

だからこそ、いまを見て、３年後、６年後を見て、将来を見据えた取り組みが必要なのである。その核となるのが人材だ。創業以来、企業は人なりを実践し、マイスター制度をはじめ若手社員を徹底的にサポートしてきたのは、そんな理由からなのである。

「当社にはさまざまな魅力がありますが、一番は後輩、部下への思いの強さでしょう。とことん付き合って、一緒になって成長していく。これは制度と言うより、もはや文化です。だから数年前に若手だったリーダーも、いまでは後輩を一生懸命サポートしている。リーダーから店長になった者は、リーダーを指導している。目標を共有し、仲間とともに達成することに喜びを感じてくれているのです。これは素晴らしいことですし、

日本ハウスＨＤグループの本当に素晴らしいところ。いつまでも受け継がれていく財産です」

武藤は、現場でお客様と接する社員こそ、日本ハウスＨＤ、日本ハウス・ホテル＆リゾートの代表者だと語る。

「現地の社員が先端にいる逆ピラミッド構造になっている。一番上にお客様がいて、その下に社員がいて、役職がいて、一番下に私たち役員、社長がいると言う形態だと思います」

日本ハウス・ホテル＆リゾートを実際に動かしているのは若手社員たちだ。そういった意識がより根付けば、仕事に対するモチベーションも変わってくるだろうし、責任感もより増して発想や行動も変わってくるだろうと、武藤は期待を寄せる。

「当社は学歴不問・実力主義。私も高卒です。会社はどこを見ているかと言えば、人間性なのです。人間性が高ければ高いほど、お客様にも愛されます。お客様に愛されれば、それは結果として会社の業績につながるわけです。日本ハウスＨＤグループには金バッジ制度というものがあり、評価基準が明確です。それに準ずる形で、ホテルもしっかりと残した実績を評価しています」

「だからこそ、特に若い社員に言いたいのは、出社して仕事をやらされていると言う意識はいますぐ捨てて欲しいと言うことです。なぜ自分はその仕事を任されているのか。その仕事を通じて、お客様は何を感じ取られるのか。そう言った発想になれば、仕事に意味が見いだせるようになり、面白くなっていくものです」

日本ハウス・ホテル&リゾートを踏み台にして、いずれは独立してやる。それくらいの気概があれば、うちは宝の山だと言うことに気づくはずだと武藤。前述の検定試験はその最たるものだろう。自分に足りないものを着実に補い、身につけていき、やがてプロフェッショナルになる。そんな環境を利用しない手はないではないか。成長すれば、必ず見える世界が変わってくる。目標を達成すれば、次に手にしたいものが心の中に湧いて出てくる。そんなワクワクする体験を、日本ハウス・ホテル&リゾートで手にして欲しい。そう願っているのである。

箱根の成功の後には、熱海、千葉・房総を目指す

日本ハウス・ホテル&リゾートは、いままさにテイクオフを始めたところだ。コロナ禍により仕方なく一旦、着陸したが、その時間を有意義に利用し、しっかりと整備・点検を行い、燃料を満タンにして滑走路に飛び出したのだ。これからだ。これからは、チャンスが山ほど待ち構えている。

「箱根の2ホテルがオープンし、軌道に乗せることができたなら、次は熱海、そして千葉の房総にも新設ホテルを展開し、全部で10拠点ほどに拡大したいと思っています。そうなればまた責任あるポジションが増えるわけですから、若手社員の将来もより明るくなるでしょう。日本ハウス・ホテル&リゾートは、自分で人生を変えていける会社です。だからともに力を合わせ、いまを乗り切り、その先の大きな夢を掴もうではありませんか」

7章　最大のピンチこそ、最大のチャンス。ホテル、そして個人の進化は、まさに、いま何をするかである。

頂点を目指せ！

［8章］

志高く、改革を断行する未来は、自らの手で変えることができる。

真田和典 Kazunori Sanada

株式会社日本ハウスホールディングス　代表取締役社長　執行役員

昭和38年2月7日生まれ。九州理工専門学校　建築科卒業。
昭和58年、東日本ハウス株式会社　福岡支店入社。工事課、九州ブロック本部を経て、平成8年、長崎出張所所長。平成10年、鹿児島支店長、平成17年1月、静岡支店長。同年11月、やまと事業部本部長などを歴任。平成23年1月、取締役。平成26年11月、常務取締役。平成28年11月、専務取締役。平成31年1月、代表取締役社長に就任し、54期よりスタートした中期飛躍6ヶ年計画を牽引する。
人生理念・モットー「今よりも楽しい人生を！」
好きな言葉「苦楽一如（人生苦あれば楽あり）」

マイナス成長からのスタートであることを自覚せよ

令和3年11月より、第54期がスタートした。日本ハウスホールディングスが力強い未来を描くための土台づくりである、「中期飛躍6ヶ年計画」の幕が開けたのだ。いや、これは幕が開けたという生易しいものではない。火蓋が切られたと言ったほうが正しいだろう。なぜならこの中期計画は、まさに戦いだからである。

未来の話をする前に、日本ハウスHDが置かれている現状を再度、確認しておこう。51期に掲げた「危機感から未来に目標・夢・希望　新未来3ヶ年計画」は、残念ながら厳しい結果を迎えることとなった。51期には消費税10％への増税。52期には予想もしない新型コロナウイルス感染症の大流行。そして53期もコロナの第2波、第3派に見舞われ、住宅統括の3月末累計受注前年比は▲5％、▲5億円。このまま推移すれば大きなマイナス成長へと陥落してしまう危機的状況であった。

51期：住宅統轄　受注前年比▲13％、全社▲9％
52期：住宅統轄　受注前年比▲14％、全社▲16％

しかしながら、全社員の努力によって4月より好転。4月受注前年比は１２９％、５月は１４７％、６月１３７％、７月１２７％、８月１１６％、９月１２８％、10月１１８％と７カ月連続で目標を上回り、53期は住宅統括　受注３２１億円、前年比１１３％、37億円増で終えることができた。また全社では売上３３９億円、前年比１１５％、45億円増となった。

53期：住宅統轄　受注前年比１１３％、全社１１５％

とはいえ、51期から３ヶ年のトータルはマイナス成長だ。陣頭指揮を執る真田は、「53期後半に盛り返したものの、危機的状況には変わりない」と語る。成長を軌道に乗せ、安定させなければ日本ハウスＨＤは再び窮地に陥りかねない。それほどまでの危機感を抱き、54期からの「中期飛躍6ヶ年計画」を強力に推進していく覚悟を持っている。

「前半戦3ヶ年が〝翔け未来3ヶ年計画〟、後半戦3ヶ年が〝飛躍未来3ヶ年計画〟とし、6年後にはリフォームを含めた住宅統轄で600億円、ホテル・関係会社を合わせて売上高700億円を目標として、我々の過去最高業績の2分の1まで戻そうと言う計画です。そのためには日本ハウスHDで活躍する一人ひとりが目標と夢を持ち、具体的な対策を持って実行していかなければなりません。経営の執行責任はもちろん私が取りますが、みんなが高い意識を持って挑戦していかないと、明るい未来は絶対に見えてこないのです」

物心両面の幸福のために、改革を断行する

真田は、成田会長から『経営とは何のために行うのか』との問いを投げかけられることがある。その答えは、企業理念。すべてはそこに集約されていると真田はいう。経営理念を社員みんなの協力を得て実現していくことが経営の目的だ。経営判断に迷いが生

じそうになった時、成田会長はその問いを投げかける。そして、そのたびに真田は原点に立ち戻り、タクトを揮るのだ。

日本ハウスＨＤの一番の弱点はどこにあるのか。真田は、〝生産性の低さ〟だと見る。日本ハウスＨＤは、東証１部（プライム）に上場する堂々たる企業である。しかし、住宅部門で比較すると、同様のハウスメーカー群の中で、生産性は後方に位置している。だから収益力は高いので利益は出せるが、社員の給与水準は大手ハウスメーカー平均より低くなってしまうのだ。

「何のために会社を存続させるのか。それはお客様のためであり、株主様のためでもありますが、やはり働く仲間、業者会、その家族のためなのです。売り上げを伸ばし、利益率を高め、そして待遇も向上させる。その結果、物心両面の幸福が手に入るわけです。そこをいま一度、社員のみなさんに理解して欲しいですし、そのために生産性向上の施策を講じていきます」

その施策とは、「経営改革」であり「意識改革」だ。改善ではなく、改革。現状の中で小手先の施策を講ずるのではなく、必要なものは新しくする。この改革こそが、「中期飛躍6ヶ年計画」達成の要諦となるのである。

いま一度、日本ハウスHDの現状を確認すれば、51期、52期で受注は▲94億円だ。53期の45億円増を軽く飲み込み、コロナ禍前に戻るには49億円もこれから上積みしなければならない。これは決して簡単な数字ではない。「危機的状況の何物でもない。このままでは会社は潰れる」と真田が言うのも頷ける。

そのために断行する「経営改革」だ。これからは「自分がやる！」の精神で一人ひとりが経営をし、志高く行動に移す。成功の法則を徹底し、「経営とは」を実行、実践していくことが、より求められていくのである。

■成功の法則

1．正しい目標（計画）を持つ（数値化する事）

2．目標（計画）達成の為の具体的方法・対策を考える

3．経過確認方法も考える。検証し、改善

会長の指示のもと54期からの「経営改革」は、５つからなる。では、真田が執行するそれらを、一つずつ見ていこう。

改革その１：組織の改革

日本ハウスＨＤが株式上場を公開する市場は、東京証券取引所の１部だ。しかし、東証はより企業の成長を促し、特に海外の投資マネーを呼び込むために、２０２２年4月に市場再編を実施。現在の「１部」「２部」「マザーズ」「ジャスダック」の４つの市場区分を「プライム」「スタンダード」「グロース」の３市場に再編するのだ。

企業にとってプライムに上場することは非常に重要だ。市場の最上位にいるか否かは、企業ブランドに大きく影響する。当然のごとく、日本ハウスＨＤもプライムへの上場を目指すわけだが、ここで大きな問題が出てきた。

それは、プライム市場に上場する企業は、取締役会の３分の１以上を独立した社外取締役で構成しなければならないということだ。ここで一つのジレンマが生じる。日本ハウスHDは、「学歴不問・実力主義」を掲げ、実行してきた会社だ。金バッジ制度があり、獲得回数により、主任、係長、課長、所長と昇進し、支店長や統轄店長へと昇っていく。実力で残した実績により、自らの手でポジションも収入もアップすることができるのだ。

「これまでは、統轄店長の次に何を目指すかと言えば、役員なわけです。ところが、プライム市場の規定に合わせると、社員つまり、社内取締役を次々と誕生させるほどに、社外取締役も増やさなければならない。これでは取締役会が無駄に膨張を重ねてしまう。そこで今回、組織の在り方を改革したわけです」

取締役会のさらなる機能発揮に向けて、「経営（意思決定・監督）」と「執行」に分離。成田会長を中心に意思決定を行い、社長は意思決定とともに執行を兼務。執行部門が責任を持って結果に結びつける体制だ。そして実力主義をしっかりと反映させるため、統轄店長の次は、執行役員、上席執行役員を目指し、さらに常務、専務、社長に挑戦していく、「頂点を目指せ」る仕組みに整え直したのである。

また、54期からは15年間続けたJ・エポックホーム事業部を日本ハウス事業部に統合し、現状8ブロックから7ブロックに再編。北海道、東北、関東・甲信、北陸ブロックを第一統轄事業部に、首都圏、東海・関西、中四国・九州ブロックを第二統轄事業部とし、「東と西でバチバチ競争しながら、いい会社に変えていく(真田談)」体制を構築していく。

改革その2：商品改革

東日本大震災をきっかけに、太陽光発電システムを標準搭載にした日本ハウスHD。原発事故が起こり、問題の根本解決に道筋が見いだせない中、原発だけに頼らない暮らしが必要ではないかと言う思いから、価格は据え置きで標準搭載を決定した。

「日本ハウスHDは、他の大手ハウスメーカーと比べると、とても小さな会社です。でも、小さくても自然エネルギーを活かし、エネルギーを自給自足できるような家を提供することは、家づくりを生業とする者の使命ではないか。そう考えて行動してきたわけです」と真田は説明する。

しかしいま、時代は〝大きな変化〟が求められている。それは「脱炭素社会の実現」

だ。CO_2の排出は気候変動に大きな影響を与え、世界各国で異常気象が観測されている。2021年7月にドイツで起こった大洪水では、同国のシュルツェ環境相が『ドイツに気候変動が到来した』と指摘。ゼーホーファー内相も『この惨事が気候変動に関係していることを疑うことはできない』と語っている。つまり各国首脳が、脱炭素社会実現こそが、人類の生きる道だと警鐘を鳴らしているのである。

日本のおいても2020年10月に、当時の菅首相が『2050年までに、温室効果ガスの排出を全体としてゼロにする、すなわち2050年カーボンニュートラル、脱炭素社会の実現を目指す』ことを宣言。CO_2を2030年度までに2013年度比でマイナス46%、うち家庭部門は66%の削減と言う目標を打ち出した。

そんな中、日本ハウスHDの家づくりはどうあるべきか。それを再考し、開発したのが、「環境にやさしい脱炭素社会の住宅　日本の森林を守る　檜・木造住宅　高断熱・高気密ゼロエネの家」である。これが商品改革だ。

脱炭素社会を実現するうえで、CO_2の排出量が少ない家とはどんなものか考えた時、最も優れた建築素材は木材であり、その中でも檜は最上級に位置するものである。高品質な国産檜無垢柱やプレミアム檜集成材等を用いることで、丈夫で耐久性の高い木造住宅が完成し、長く住むことで、炭素を固定できる。さらに今までの家が例えば10のエネルギーを使っているならば、それを半減できる家であり、そのためには高断熱・高気密を徹底的に高める必要がある。そこから誕生したのが『日本の家・檜の家「館」「極」「輝」「雅」及び「匠の技クレステージ15」』と言うわけだ。

現代は大量消費時代ではない。消費者は商品を厳選し、厳選する中で重視するのは、そこにどのようなポリシーや物語が存在するかである。日本ハウスHDは、なぜこのような住まいを誕生させたかの背景や考え方、商品思想までも語れる商品をつくったことは、お客様にとっても我々にとっても重要なのである。

改革その3：広告改革

54期、正確には53期の10月から、一般的な15秒CMは全面的に廃止した。日本ハウスHDの営業スタイルは、〝思想営業〟である。私たちがどのような思いで家づくりをし、構造や部材を開発・調達しているのか。そしてアフターも含めたさまざまなサービスを用意しているのか。それをしっかりとお客様にお伝えすることが、他社との差異別化につながると言う考え方だ。

しかしそれは、逆に言えば〝明快なひと言〟で言い表せるものではない。じっくりと時間をかけ、お客様に納得していただく必要がある。そこに立ち返った時、果たして15秒CMで、日本ハウスHDの魅力は伝わるのだろうか。答えは否だ。

そこで日本ハウスHDは、2021年10月から、BS放送で「梅雀さん　ひのきってなあに？」と言う番組を放映。タイトル通り、檜の魅力や高い性能、効能を分かりやすく伝えるプログラムとなっている。毎週第1金曜日の18：30から30分番組で放送し、再放送は第2金曜日。全12回のシリーズで再放送も合わせると年間24回も番組が流れる。回数が増えることで視聴率も期待でき、檜に対する理解度も深まることだろう。そして、それは日本ハウスHDの認知度向上、ブランディングにつながっていくのである。しかし、大切なことは社員が理解し、誇りを持って仕事に向き合えること。それがこの広告改革の真の狙いなのである。

改革その4：出店改革

現在、事業計画における投資の優先順位は、ホテル事業部となっている。しかし、2022年には箱根・芦ノ湖、箱根・仙石原の2つのホテルが相次いで開業し、ホテル事業への投資が一段落する。その後の投資は、再びハウス事業とマンション事業に振り向けられる予定である。

そこでいま、議論が進められているのが、出店改革である。これまでの展示場とは一線を画した複合型拠点の開発計画だ。

「当社の木造住宅ニーズを考えた時、たとえば首都圏であれば土地の狭い都心ではなく、もう少し郊外がターゲットとなる。そこで千葉、神奈川、埼玉など、エリアごとにセンター化し、国道16号線沿いに複合型拠点を展開できないかと検討しています。300坪ほどの土地を仕入れ、自社ビルを建て、下層階はショールームや支店にして、上層階は分譲、もしくは賃貸住宅として貸し出すのです。うちにはマンション事業部もありますし、投資事業部もあって、すべてがワンストップでできるので、効率的な投資が可能となると考えています」

一方、展示場計画も改革を進める。受注・利益・生産性のバランスも考え、首都圏の出展強化と並行し、47都道府県中、未だ県庁所在地に出展できていない場所への検討を進めていく。特に西日本エリアは強化すべきポイントで、タイミングを見ながら現在全国96ヶ所を、100～110ヶ所に広げていく計画を立てていく。そのためには組織を構築し、戦力をつくり上げ、採用を積極的に行い、身を挺した徹底した社員教育により、勝つ集団にしなければならない。特に営業リーダーの育成と営業生産性の向上が必要不可欠である。

改革その5：営業改革・社員生産性改革

日本ハウスHDの生産性は、大手ハウスメーカー群の中では後方であると前述した。では、生産性をどのようにアップさせるのか。そこで打ち出されたのが、営業改革・社員生産性改革である。

社員の生産性を向上させるためには、受注を向上させる必要がある。現在、96ヶ所の展示場があるが、1展示場における営業一人当たり生産性は2.8棟／年だ。それを3.5棟／年へ向上させていく。そのために現状の営業スタッフ3名〜3.5名体制を、4〜5名体制に改める。

この営業改革を成功させるためには、積極的な人材採用と教育が欠かせない。採用・教育への投資をより充実させ、今後6年間で、組織を大きく、強くしていく。

「生産性が上がれば、給与も高められます。利益が高くなれば、株式市場での当社の評価も高まるでしょう。うちには社員持株会がありますが、株を購入している人なら、自分たちの頑張りが給料以外のところで資産形成にもつながっていくのです。株価だけでなく、配当性向は純利益の3分の1と決めていますから、持ち株数次第では、毎年それなりの金額が手にできる。実は営業改革・社員生産性改革は、社員の待遇改革、資産形成改革でもあるのです」

社長巡回で見えてきたこと

真田はいま、社長巡回に力を注いでいる。四半期に一度のペースで、全国の支店を巡り、社員たちに檄を飛ばす。

その檄は、決して無理難題を押し付けるというものではない。真田が大切にし、みんなに伝えて回っていることは、「あたり前のことを、あたり前に、ちゃんとしよう!」と言うことだ。巡回して見えてくるのは、業績の良くない店、社員ほど、挨拶ができていない、清掃ができていない。要は躾がいい加減だ、と言うことだ。真田は、「本当に残念でたまらない」と目を伏せる。そういった基本ができれば、ちゃんとお客様も評価してくださるのだ。基本が疎かだから、お客様からそっぽを向かれるのだ。なんでこんなに簡単なことに気づかないのか、できないのか。

「自分で自分の可能性をつぶしている。こういうのが私は大嫌いなのです。仕事においても、人生においても、大事なのは人間性。人間性が高い人は、人生うまくいきます。規律・礼儀がなっていない人に、誰が信頼を寄せますか?」

規律・礼儀と言うのは、相手への思いやりだ。挨拶だ、お辞儀だ、礼儀だ、身なり服装だと口やかましく言うのは、それらがすべて相手への思いやりの原点だからだ。

「約束を守ること。嘘をついたら、いい人生なんて送れないでしょう？　でも、若いうちはごまかしたり、思わず嘘をついたりすることもある。私が言いたいのは、それがいけないことだと気づいたらすぐに謝りなさい、謝る勇気を持ちなさいと言うことです。そうやって約束を守れる人間になっていって欲しいのです。人間力が高まれば、必ず人生は輝いていきますから」

その一方で、巡回ではもちろんうれしいことも多々ある。若手社員が、『社長が来られるので、昨日、設計依頼をもらってきました！』と報告してくれたり、30代の店長が、『私はどうやったら統轄店長になれるのでしょうか？』といった前向きな質問をぶつけてきてくれたり。こんな社員たちがいる限り、会社は強く、大きくなれる。真田はそう確信している。

自分の人生を無駄にするな

目標、夢を持つこと。希望、志を持つこと。真剣に生きていかないと、将来、取り返すことができなくなる。特に若い社員には、そう伝えたいと真田は言う。

「新入社員たちには、石の上にも3年と言っていますが、簡単なことではないと思います。私も若い時は、そんな言葉を聞いて『何を古臭いことを言っているんだ』と思ったものです。でも、いまになっては、この言葉の大切さが身に沁みます」

好きこそものの上手なれ、という言葉がある。好きだったら自分で率先してやろうと思うものだ。しかし、仕事というものは、好きでなくてもやらざるを得ないものもある。それが仕事というものだ。

「そうであるならば、心構えを持つことです。やりたくないことでも好きになるように努力する。どうやったら好きになれるかを考える。うまく行かないことに対して、こうやったらうまく行くのではないかと積極的にチャレンジしていく。こういう心構えが、社会人としてスタートを切るうえで最も重要なことなのだと、彼ら彼女たちに伝えていきたいです」

自分の人生を無駄にするか、有意義で輝く人生にするかは、自分次第だ。この仕事に誇りを持ち、やりがいを感じ、自信を深め、人間性を向上させていく。目標と夢を持つことの素晴らしさや、仕事に生きがいを持つことの素晴らしさを理解し、成長を遂げていく。そんな社員を一人でも多く育てていくことが真田の使命であり、思い描く日本ハウスＨＤの未来である。

終わりに　一人ひとりに秘められた可能性を求めて

いかがでしたか？　活躍する先輩たちのストーリーの中から、あなたは何を感じ取ることができたでしょうか。

「中期飛躍６ヶ年計画」の詳細については、真田社長の章で詳しく述べてくれています。冒頭でも触れましたが簡単におさらいすると、54期からの３年間でコロナ禍前の売上に戻そう、そして57期からは飛躍の３年間として、グループで売上７００億円にしようという計画です。これを達成するためには、何度も言いますが、一人ひとりの頑張り、努力が欠かせません。成長し、やりがいを感じながら、日々ワクワクしながら働くことが、当社成長の原動力になるのです。

さて、私は日本ハウスＨＤ　グループＣＥＯ兼代表取締役会長です。営業時代は29回連続で金バッジを取得し、全国１位も15回受賞しています。生涯受注実績棟数は５３２

棟で、この記録はいまも破られていません。こう言うと、私がスーパー営業マンで、雲の上の人と言うイメージを抱く社員もいるかも知れませんが、実は入社当時の私は、営業が嫌で嫌で仕方がなかった人間だったのです。

設計で入社したのに、『営業が足りない』と言う理由で営業に回されました。しかも、じゃんけんで負けたからです。当時は飛び込み営業が当たり前で、本当に毎日、嫌で仕方がありませんでした。

それでも男が一度、決めた道なのだからと逃げませんでした。すると1棟決まり、2棟契約してもらえるようになっていきます。その積み重ねの中で、「もっとこうやったらお客様に信頼されるのでは？」と考えながら無我夢中で仕事に打ち込むうちに、気づけば頂点への階段を昇っていたというわけです。

入社1年が過ぎた頃、当時、社内で〝営業の神様〟と呼ばれていた日野杉さんと言う方がおられ、上司に引っ張りだされて日野杉さんの前で、「私はあなたをいつか超えてみせます！」と宣言させられました。上司はさらに、『いつかではダメだ！3年後と言え！』と。それでまた「私は3年後に超えます！」と、恥ずかしくて仕方がありませんでしたが、無理やり声を張り上げました。日野杉さんは鼻にもかけず、余裕の笑顔で『頑張って』とひと言。でも、25歳、入社3年目の時、私は日野杉さんを抜いて全国1位になったのです。

営業志望でもない。最初は嫌々やっていて、おしゃべりも苦手。そんな私でも目標・夢を描き、そのためには何をすべきかを考え、継続していたら、届くはずもないと思われた目標に届いたのです。私が社員のみなさんに目標・夢を持ちなさい、成功の法則があるのだよ、失敗から学びなさいなどと口酸っぱくして伝えているのは、この成功体験があるからです。

自らの力で昇給・昇格が勝ち取れるわが社ですが、福利厚生・待遇の充実も図っています。その最たるものが、「社員持株制度」です。補助金を支給し、自社株の購入を支援。これは退職金以外の資産形成を応援するものです。株価が上がれば投資金額を超えるリターンが期待できますし、利益が出れば毎年、保有株数に応じた配当も受けられます。自分が出した成果、そして仲間が出した成果が日本ハウスＨＤの価値を高め、それが再び自分に戻ってくる。「実力主義」の恩恵は、こう言ったところまで及ぶのです。

金バッジ表彰制度も、福利厚生・待遇充実の一環でもあります。一度でも参加したら、見える世界が変わります。意識も、目標も夢も、劇的に変化します。金バッジは本当にいい制度です。ぜひ一人でも多くの方に獲って欲しいと願っています。

私は、「ピンを知らないと一流の人間にはなれない」と言う考えを持っています。だから金バッジ表彰式は、贅を尽くします。いまは自社のホテルで行いますが、昔は東京なら帝国ホテル、京都では都ホテルで開催しました。豪華客船「飛鳥Ⅱ」を貸し切ったこともあります。

また、優秀な成績を収めた社員30名ほどの労をねぎらうために、東京に寄港した「クイーン・エリザベスⅡ世号」に宿泊したこともありますし、シンガポールの5つ星ホテル「ザ ヴェネチアン・マカオ」や香港の5つ星ホテル「カオルーン・シャングリラ」に、100人を超える社員を連れていったこともあります。

ホテル事業では、沖縄・宮古島の部屋にプールが付いた高級リゾートホテルを貸し切って、3泊4日の報奨旅行をしました。ハイシーズンなら1泊7万円のホテルです。エージェントには、『普通は1泊しかしません』と驚かれましたが、一流のサービスを知るためには時間もお金も惜しまない。それが私の哲学なのです。

いま思い切った若返りも図っています。実績を残し、「見込みがある」と思った社員は、少々年齢が若くても執行役員に登用しましたし、ホテル事業では支配人に抜擢しました。この書の冒頭で、当社の置かれた状況は危機的だと話しましたが、逆に言えば大チャンスなのです。頑張れば会社は大きくなる。そうなればポストも増え、収入もアップします。要は自分次第なのです。誰にでも可能性は宿っているのです。

やる人生か、やらない人生か。

社員みんなが前者を選ぶことを、私は信じています。

二〇二一年十一月

飯田橋の本社会長室にて

成田和幸

グループ社員心得50項目

第一章：ものの考え方〜よりよい人生を送るための考え方

1．三つの喜び

（1）「感謝」の喜び

・我がグループは、顧客満足を追求し仕事を通じてお客様に感謝される喜びを知る。

（2）「団結」の喜び

・我がグループは、社員や業者会と固い絆で結ばれたチーム環境で、一致団結して働く喜びを、知る。
（3）「勝つ」喜び
•我がグループは、実力主義の環境下で、目標・夢を達成する喜びを知る。

2. 三つの蓄積

【人材の蓄積】
（1）会社の資本は人である。
•会社の資本である人を、教育・訓練して鍛え上げる。
•経営者は、社員と夢を共有し、人材の質を高めていく。
【資本の蓄積】
（1）資本を蓄積し、健全な経営を行う。
•出来るだけ借入をせず、利益率の高い経営を推進し、無借金経営を目指す。
【暖簾の蓄積（信用・信頼の蓄積）】

（1）お客様は、会社ではなく、社員一人一人を信頼して、商品を買う。

•社員一人一人が、会社の代表（暖簾）である事を自覚する。

•社員一人一人が、誠意を尽くし、お客様の信頼を勝ち取る。

3. 狭き門の原理

（1）安易な道（広き門）は、多くの人や大企業が集まり、知名度などが競争を大きく左右する。困難な道（狭き門）は、地道な努力が必要だが必ず報われる。だから困難な道を進め。

（2）人一倍困難な仕事に挑み、努力を継続する事で、能力はもちろん、立派な人間性が身につき成果が出る。

•その為には、技術・知識を身につける事。

•お客様や職人さんと人間関係を築く事。

4. 小が大に勝つ方法

（1）企業規模、知名度では、大企業にはかなわない。中小企業が、戦って勝つ方法は、自分の土俵で戦う事である。

（2）住宅産業のような高額商品を扱う商い。サービス産業の様な気を配り尽くす商いは、人間関係で決まる。信頼できる人間、信頼できる会社が決め手となる。

・商品を売る前に会社を売り、社長を売り、自分を売る。（会社の話、社長の話、自分の話をする）。

5. 戦国経営（支店・拠点勝ち取り経営）

（1）住宅・サービス産業は、地域密着産業であり、地域に根ざした深い関係を、作り続けていく事が、不可欠である。

（2）支店（拠点）は一つの会社であり、店長、支配人はその会社の社長である。

社長は、如何にして城を成長させるかを考えなければならない。
•支店（拠点）に権限を与え、店長は有能な部下を育てる。
•支店（拠点）独立採算制度の支店（拠点）経営を推進する。
（3）業績に応じて、新たな拠点拡大の道が開かれる。

6．何故、国歌を歌うか

（1）日本人として、国に誇りを持ち、国歌を歌う事は当たり前の事である。
（2）公式の場で国歌を歌う事は世界の常識であり、民族の誇りを大切にする事である。

7．主題ある人生

（1）主題ある人生とは、人生にしっかりとした夢・目標を持ち、生きる事である。
夢・目標を実現する為には、何があろうと譲らない事（大事）と、譲ってもよい小さな事（小事）を明確にすること。

（2）主題ある人生を送るために、人生に関りが深い仕事を生き甲斐としそこに喜びを見出すこと。

・お客様に感謝され、喜ばれる仕事をする為に、あえて苦難、困難を乗り越え、生き甲斐、喜びを見出す。

8．能力、努力とテイクオフ理論

（1）仕事は、能力の差ではなく、努力や挑戦により差がつく。

（2）努力は、すぐには報われないが、夢・目標を持ち、それが、必ず報われる事と信じ、努力を続ける。

（3）努力が実り、一旦テイクオフ（離陸）すると、浮力がつき一気に上昇し成長する。

9. 情熱炭火論

(1) 情熱のないところに、希望も夢も生まれない。

(2) 情熱を燃やし続ける為には、常に新しい炭、空気を入れてやらなければならない。

(3) 新しい炭、空気となる、次のような行動を心がける。

- 具体的な目標を持ち、方法論を考え、実行して、確認する事。
- 報(報告する)、連(連絡する)、相(相談する)、打(打合せする)の癖をつけ、早期問題解決を図る事。
- 勇気を鼓舞するような、良書を読む事。
- 互いに聞き、励まし合える良き友を作る事。

10. 成功の法則

(1) 三年後、五年後は必ず平等に来る。三年後、五年後の具体的目標を持ち努力する。
（2）リーダーや管理職の指導を受けながら、目標達成の為の具体的方法で実践する。
（3）たとえ三日坊主でも、強い意思と努力で短期集中の繰り返しを行う。その結果、三年後、五年後には、実践しない者に大きな差を付ける事ができる。

11．住宅産業の特徴（◎）

（1）住宅は、個人にとって最大の金額の買物である。一生に一度か二度の経験である。
（2）住宅は完成品ではない。見えない商品に対して契約金を払うお客様は、不安を抱えている。
（3）お客様に安心していただけるよう、誠意を尽くし、信頼を勝ち取る。

第二章：個人の心構え～個々が日々、心がけるべき考え方と行動

12．身なり、服装を整える

（１）多くのお客様は第一印象で判断する。身なりを整え、社会的信頼を得る。

• 派手な服装、男の長髪、茶髪の禁止。

• ２ドア車、派手な色の車の禁止。

（２）社章、名札を着用する事で、我社の社員である事を証明し、会社への誇りを表す。

13．礼儀と挨拶

（１）礼儀を重んじ、挨拶、親孝行を行い、人に感謝、人に尽くし、人に迷惑をかけない。これを実行できる人間こそ、我がグループが考える「立派な日本人」である。

・我社は社員教育を通じて立派な日本人を多く育て、社会に貢献する。
（２）正しくお辞儀する事で、相手方への信頼、感謝、尊敬の意を伝える。

14. 男は男らしく、女は女らしく

（１）男と女は、互いに生まれながらの魅力を持っている。生まれながらの魅力を活かした仕事をする事により、仕事の質を高める。
・男は、本来持っている強さで仕事をし、辛くても、歯を食いしばって仕事にあたる。その結果、物事が好転する事を知る。
・女は、本来持っている優しさで仕事にあたる。

15. 正直に素直に明るく大きな声で

（１）正直に素直に生きると、自分が誇れる人生を歩む事ができる。
（２）明るく振舞うと、仕事に対して前向きな気持ちになる。

（3）大きな声を出していると、元気と自信が湧いてくる。

16．親孝行

（1）親の心を知り、親に感謝する心を養う事により、お客様や仲間に感謝する気持ちを持てる。

（2）住宅産業、サービス産業では、仕事を進める上で、感謝する気持ちは非常に重要である。

（3）親孝行は、人に感謝する事、人に喜ばれる事の原点であり、人間性の成長に繋がる。

- 毎年4月を親孝行月間とし、全社員が必ず親孝行を実践する。
- 新入社員は、両親の前に正座して「社会人までの○年間、大変お世話になりました。これが第1回目の親孝行です。これからも親孝行致しますので宜しくお願い致します」と感謝の気持ちを伝える。

17. 読書をする

（1）教養を高め人間性を豊かにする。

（2）正しい物の考え方、判断を学ぶ。

（3）自分で体験する以外の多くの人の生き方、考え方を学ぶ。

・良書を月1冊以上読む。

・店長、支配人、部門長が月に1度、推薦図書を選び、社員に薦める。

第三章：仕事の心構え

～質の高い仕事をする為に行うべき考え方と行動

18. 5分前精神

（1）時間を守る事は人間的信頼を得る第一歩である。

- 創業時は実績も資産も知名度も無いところから始まった。信頼を得る為に、3時・4時半など丁度の時刻ではなく、あえて3時45分など端数の時刻を指定し約束を守った。
- 約束を守るだけでなく、指定した時刻の5分前に訪問する事で、更なる信頼を勝ち取った。

19. 筆談をする

（1）お客様との信頼関係を築く。

- 住宅産業は口約束でのクレームが多いため、打ち合わせ事項を「言葉の領収書」である複写便箋に書いて残し、約束を守る証（あかし）をたてる。サービス産業でも同様。

（2）我がグループならではの信頼の築き方として徹底する。

20. 結論から話す

（1）相手が正しく受け取り、正しい判断ができるようにする。
（2）回りくどい話し方をして相手の印象を悪くしない。言い訳から入らない。
（3）自分の考え、話す内容を組み立てる能力を養う。
- 短時間で真意を伝える。

21. 仕事は期日を切って、期日を厳守する

（1）常に次工程はお客様。お互いに期日を守る仕事をする事により、一人一人、また会社全体の生産性も向上する。
（2）仕事と休みのメリハリがある人生を送る。
- 仕事に優先順位を設け、効率的に行う。

22. 仕事に対する高い責任意識

（1）誇りを持って、質の高い仕事をする。

•他責にせず、自責を問う。

•仕事に対する妥協をなくす。

23. 失敗から学ぶ

（1）失敗しても、考え、努力していれば学ぶべき事がある。

（2）経験は重要な財産である。

•社員一人一人が積極的に意見を出し、自ら進んで仕事をする。

•失敗の原因を追求し、二度と同じ事を起こさない行動をする。

24. プラス思考

（1）考え方次第で人生を豊かに送る事ができる。

（2）マイナス思考は成長を止め、プラス思考は思考力を養い成長する事ができる。「出来ない」から物事を考えるのではなく、「どうすれば出来るか」から考える。

25. お客様の目線に立つ

（1）お客様が何を考え、何を求めているのかを正しく知る。

（2）部署に関わらず、全社員がお客様を第一に考える。

（3）お客様に喜んでいただく家づくり、サービスを提供する。

26. 損得ではなく、正しいか誤りかで判断する

（1）損か得かで考えると、利益を優先してしまい、正しい判断が出来ない。
（2）正しい判断で仕事をする事により誇りが持て、お客様にも喜んでもらえる。
間違い誤りを認める勇気を持つ。

27. お客様感謝訪問＝企業理念の実践（◎）

（1）会社が今日あるのは、お客様がいるお陰である意を表す。
・社員と日盛会会員が、お客様に対して、日頃の感謝を込めて訪問する。
・築1～5年は年2回、6年目以降は年1回、必ず定期点検、感謝作業を行い、信用を継続する。そして、10年目以降はリフォーム社員が訪問アフターでなく「ホームドクター」となる。

28. 三回の汗を流す（◎）

（1）足繁くお客様、現場に通い、心のこもった家づくりをする。お客様に感謝の気持ちを行動で表すために、最低三回の汗を流す。

●工事中、完成前の清掃、引越しの手伝いをするなど汗を流す。

第四章：一致団結～組織が仲間意識を持ち一致団結する為に行うべき考え方と行動

29. 社歌「武田節」

（1）「人は石垣、人は城」という歌詞が、「会社の資本は人・社員である」という我がグループの考え方と合致している。

30. 朝礼

（1）方針を徹底する場となる。
（2）業務連絡の確認、成功例、失敗例の水平展開を行う場となる。
（3）教育、人づくりの場となる。

31．店長会議（ホテル＝経営会議）・ウィークリー

（1）経営基本方針の徹底、業績検討、情報共有、幹部候補の教育、店長・支配人教育を図る。
（2）社長と店長、支配人の綿密な情報連携と、スピーディーな意思決定を行う。
（3）拠点状況をウィークリーによりタイムリーに報告する事により、素早い経営判断が可能になる。

32．月誌を書く

（1）社長、店長・支配人、部門長が、社員の状況を把握し、社員との意思疎

通を図る。

（2）社員にとって前向きな意見を言いやすい手段となる。

（3）一ヶ月の仕事の振り返りを行い、課題を発見し今後の自己の成長に活かす。

33．社長の支店（拠点）巡回

（1）社長が会社の方針を何度も伝え続ける事で、社員の会社に対する理解を深める。

• 年に2〜3回社長が支店（拠点）に直接出向き、経営方針、企業理念を社員に徹底して伝える。

（2）社員は、社長を知る事ができ、社長は社員を知る事ができる。

34．社員持株制度

（1）皆で働き、皆で分け、皆で会社を築き、成長させる。

（2）社員の資産形成の一助になる。

35. 二割供出論

（1）自己本位の行動では、会社、組織が成り立たない。

・自我を慎み、会社・仲間のために自己の二割を奉仕する。

36. 騎馬戦

（1）男の闘争心を養い、仕事に活かす。

（2）互いに協力する事で、敵に勝てる事を学ぶ。

37. ガラス張り経営

（1）我がグループは、社員に経営情報を開示し、社員一人一人の経営に対す

る参画意識を高める。参画意識を持つ事で、一体感が生まれる

（２）お客様に会社の経営について聞かれても、胸を張って応答でき、お客様の信頼を勝ち取る事ができる。

●全社員が会社の経営方針や他部署が行っている業務を理解し、自分の仕事の位置づけを確認する。

38.ランニング（◎）

（１）一人では続けられない事も、組織・団体だからこそ継続できる事を知り、団結心を養う。

（２）他社では出来ない事を、我社ができる事に誇りを持つ。

●男子全員が声を合わせ、足並みを揃え、ランニングをする。（地域事情によっては、体操、清掃などの行動で代替する。）

39. 忘年会での寸劇（◎）

（1）寸劇は、監督及びプロデューサーのリーダーシップ、テーマ・配役の選定、各担当者の努力が結集して初めて、良いものができる。寸劇は経営と同じであり、チームワークを学ぶ大切な機会である。

（2）職人さん、業者の方々の一年間の仕事に対して、社員がその労をねぎらい、職人さん、業者の方々との一致団結を図る。

第五章：教育・評価の考え方

～社員を教育・評価する上での考え方と制度

40. 学歴不問論

（1）我がグループでは学歴は一切関係ない。実績が全てである。

（2）身を挺し徹底した社員教育により、学歴が無くとも、成長できる企業である事を証明する。

41. 教育の考え方

（1）住宅産業・サービス産業では、豊かな人間性、真剣に働く心と行動力が必要である。

（2）我がグループの教育とは、知識を教えるだけではなく、苦楽を共にし人間哲学、規律と礼儀を、身を挺し、時間をかけて教え育てる事である。

- 新入社員教育では合宿方式にて早朝ランニング・社歌の練習講義・レポート作成等、徹底的に教育する

42. 訓練の考え方

（1）住宅産業・サービス産業に必要な多くの知識・能力を身につける必要がある。

（2）我がグループの訓練とは、短期間に技術・知識を習得する為に、集中して、繰り返し学ぶ事である。

●早朝訓練に関しては、早朝に行う事で、先輩は日中、通常業務に邁進でき、会社を成長させる事ができる。

（3）勝つために、個人とチームの訓練を徹底する。

43. マイスター制度

（1）教わる新入社員は勿論、先輩社員も教育する事により、成長する。

●マイスター制度とはドイツ語で、徒弟制を意味する。

・先輩社員が兄弟子となり、新入社員が弟弟子となり1対1で、1年間公私にわたって指導する。

・1年間のマイスター教育の成果確認は、マイスター卒業式で行う。

44. 金バッジ制度

（1）努力して優秀な実績を上げた社員の栄誉を称え、信賞必罰の精神を徹底する。

（2）表彰式においては、陰で支えてくれた家族にも報い、家族ともども誇りある受賞を祝う。

第六章：日盛会との共存共栄
～日盛会との共存共栄を推進する為の考え方と制度

45．日盛会の目的（◎）

（1）我社と日盛会は車の両輪であり、販工一体の運命共同体である。

• 会社と日盛会が連携して初めて、お客様に良い住宅を提供できる。

（2）準社員として社員と同様の意識を持ってもらい、同一の目的、即ち企業理念を共有し、実現に向け邁進する。

（3）同じ目的を持って仕事をしていながら、職人さんは、個人事業であるためボーナス、退職金がなく、収入が不安定である。職人さんに安心して働いてもらうために、我社では、社員と同様の保障を行う。

46. 優秀職人・優秀会員表彰制度（◎）

（1）優秀な職人（会員）さんを、全職人（会員）の範として讃える。
•お客様満足、技術、取り組み姿勢、会社への貢献度を選考基準に表彰する。

•三回以上表彰された職人（会員）さんは、金バッジ職人（会員）となり金バッジ退職金を支給する。

47. 職人ボーナス制度（◎）

（1）日盛会会員は、準社員である。会社が業績を伸ばせば社員は勿論日盛会会員にもボーナスという形でその労に報いる。
•お客様に喜ばれるいい家造りをしたいという同じ目的を持って仕事をしている職人さんにボーナスがない事は販工一体の精神に反するとの事から昭和61年11月に制度として発足した。

48. 日盛会退職金制度（◎）

（1）日盛会会員の方々が、より安心して老後の生活設計を行える環境をつくる。

・職人さん一人一人の社会的地位の向上を図る目的で、平成元年5月に創設した。

49. 日盛会災害保障制度（◎）

（1）日盛会の家族の方々が、会員をより安心して仕事に送り出せる環境をつくる。日盛会会員、職人の工事中に発生する事故に備え昭和63年11月に創設した。

50. 取引先との接待・贈答は受けない、しない（◎）

（1）我社は取引先を向いて仕事をしない。お客様を向いて仕事をする。お客様の真剣さを考えた場合、我社には必要ない。

（2）取引先に、お中元やお歳暮で我社に気を使ってもらうのではなく、現場においてお客様に喜んで頂ける仕事をしてもらう。

•物を贈ったり贈られたりすれば人間は弱いもので、仕事の中に情が入る。

意識改革9カ条（新卒編）

1、ガキの甘えは今すぐ捨てろ。

2、人生は社会人3年が勝負。

3、仕事の生きる糧、技術・知識は3年で習得し成果を出せ。

4、成果の出ない努力は、努力と言わない。

5、誰かがやるだろう。おれがやらなくとも、傍観者、評論家は不要。
6、人生は苦しいのが当たり前、しかし苦難を乗り越えた者には
涙して感動する人生がある。
7、人生、目標・夢・志のある者は強い。だから目標・夢・志を持て。
8、努力は、目標、夢を実現する為に欠かせない人生の極意。
9、自分を信じろ、自分は強い、やれば出来る。向上心を持って生きろ。

※入社2年で5棟受注。
最低でも3年で5棟受注と言う強い意識をもて。
※そして4年以降は、年間3.5棟、4棟を目指す。
金バッジを取る！

意識改革9カ条（社員編）

1、仕事の区切りをつけろ！
　机、身の回り、倉庫　整理整頓。
2、仕事は　期日を切って、スピードある仕事を。
3、誰かが　やるだろう。俺が　やらなくとも、又　俺が　確認しなくとも。
　傍観者、評論家は不要。
4、抽象的でなく、具体的な仕事を。
5、時間給から　業績給。自分で、しっかり考え、行動、成果出せないと自分を守れない。

6、成果の出ない努力は、努力と言わない。

7、人生は苦しいのが、当たり前。しかし　苦難を乗り越えた者には、涙して　感動する　人生がある。

8、人生、目標・夢・志の有る者は　強い。だから　目標・夢・志を　持て。

9、自分を信じろ、自分は強い、やれば出来る。向上心を　持って生きろ。

意識改革をし
1展示場当り2棟受注

頂点を目指せ! 3
—日本ハウスHDの頂点を目指す精鋭たちからの金言—

2021年(令和3年)12月13日　第1刷発行

著者／株式会社日本ハウスホールディングス
発行者／西村公延

兼六館出版株式会社
〒102-0072　東京都千代田区飯田橋2丁目8番7号
TEL.03-3265-4831　FAX.03-3265-4833
http://www.kenroku-kan.co.jp

写真／新井啓太
装丁・本文デザイン／有限会社ウェップ
印刷・製本／三浦印刷株式会社

ISBN978-4-87462-081-6